Esse cabelo

Djaimilia Pereira de Almeida

Esse cabelo

todavia

Para o Humberto

Estar grato por ter um país assemelha-se a estar grato por ter um braço. Como escreveria se perdesse o braço? Escrever com o lápis preso nos dentes é um modo de fazermos cerimónia connosco. Testemunhas afiançam-me que sou a mais portuguesa dos portugueses da minha família. É como se me recebessem sempre com um "Ah! A França! Anatole, Anatole!" como receberam Lévi-Strauss num povoado do interior do Brasil. A única família com quem conseguimos falar é, porém, aquela que não nos responde. Acreditamos que essa família nos interpreta o mundo, quando passamos a vida a traduzir o novo mundo para a sua língua. Digo a Lévi-Strauss: "Esta é a minha tia, uma grande admiradora sua". Lévi-Strauss responde invariavelmente: "Ah! A França! Anatole..." etc. Escrever com o lápis preso nos dentes é escrever para um aldeão diante do seu primeiro francês. A questão de saber a quem responde o que escrevemos pode consolar-nos dos nossos interesses miniaturais, levando-nos a imaginar que o que dizemos é apesar de tudo importante. Fazer cerimónia com o que se tem para dizer é, contudo, uma forma de cegueira. Escrever tem pouco que ver com imaginação e parece-se com um modo de nos tornarmos dignos de não recebermos resposta. A nossa vida é inundada todo o tempo por essa família taciturna — a memória — como Thatcher temeu que a cultura da Inglaterra fosse inundada pelos imigrantes.

I

A minha mãe cortou-me o cabelo pela primeira vez aos seis meses. O cabelo, que segundo vários testemunhos e escassas fotografias era liso, renasceu crespo e seco. Não sei se isto resume a minha vida, ainda curta. Mais depressa se diria o contrário. Na curva da nuca crescem ainda hoje inexplicavelmente lisos cabelos de bebé que trato como um traço vestigial. Nasce daquele primeiro corte a biografia do meu cabelo. Como escrevê-la sem uma futilidade intolerável? Ninguém acusaria de ser fútil a biografia de um braço; e não pode, no entanto, ser contada a história dos seus movimentos fugidios, mecânicos, irrecuperáveis, perdidos no esquecimento. A veteranos de guerra e a amputados, que imaginam dores que ainda sentem, salvas de palmas, corridas na areia, talvez isto soe impassível. Não me ficaria bem, imagino, fantasiar a reconquista da minha cabeça pelos sobreviventes lisos da base da nuca. A verdade é que a história do meu cabelo crespo intersecta a história de pelo menos dois países e, panoramicamente, a história indireta da relação entre vários continentes: uma geopolítica.

A biografia do meu cabelo poderia começar muitas décadas antes em Luanda numa menina Constança, loura furtiva (uma apetecível "menina dactilógrafa"?), paixão silenciosa de juventude do meu avô negro, Castro Pinto, longe ainda de se tornar enfermeiro-chefe do Hospital Maria Pia; ou em como achou sublimes as tranças postiças com que o surpreendi certa noite, depois de uma sessão de nove horas de cabeleireiro passadas no chão, já sem posição para estar sentada, entre as pernas quentes de duas jovens especialmente brutas, que a meio de me arranjarem o cabelo interromperam a tarefa para converterem numa sopa de feijão a feijoada e o arroz-doce sobrados do almoço, e de quem eu sentia nas costas o calor (e um vago odor) do meio das pernas. "Que colosso", disse ele. Sim: talvez a história do meu cabelo tenha origem nessa menina Constança, com quem não tenho parentesco, porém, procurada por ele no comprimento das minhas tranças e nas raparigas do autocarro que, na velhice, pelos arredores de Lisboa, o levava de madrugada à Cimov onde, curvado, varreu o chão até morrer. Como contar esta história, todavia, com sobriedade e a aconselhável discrição?

Talvez o livro do cabelo esteja já escrito, problema resolvido, mas não o livro do *meu* cabelo, o que me relembraram dolorosamente duas louras falsas a quem em tempos o entreguei de passagem para um brushing impossível — e as quais, não menos brutas do que as outras, notando em voz alta que "está todo espigado", mo esticaram de cima para baixo, lutando contra os próprios braços, a masculinidade de cujos bíceps, inchados sob as batas, foi o tempo inteiro a minha secreta desforra pela tortura. A casa assombrada que é todo o cabeleireiro para a rapariga que sou é muitas vezes o que me sobra de África e da história da dignidade dos meus antepassados. Sobra-me, porém, em lamento e escovadelas reparadoras, regressada a casa do "salão", como diz a minha mãe, e em não levar demasiado a mal o trabalho destas cabeleireiras cuja implacabilidade e incompetência nunca consegui decidir-me a confrontar. Tudo aquilo com que posso contar é com um catálogo de salões, com a sua história de transformações étnicas no Portugal que me calhou — das retornadas cinquentonas às manicuras moldavas obrigadas, a contragosto, ao método brasileiro, passando pelos episódios do retraimento da minha exuberância natural numa menina que, nas palavras de todas estas mulheres, "é muito clássica". A história da entrega da aprendizagem da feminilidade a um espaço público que partilho, talvez, com outras pessoas não é o conto de fadas da mestiçagem, mas é uma história de reparação.

Nenhuma loura de autocarro jamais deu pelo meu avô Castro. Entoando para dentro cânticos bakongo, o Papá foi o homem oculto de que não se suspeita a tradição honorável que transporta em si ao nosso lado no autocarro; o homem de tradição invisível — e que bem soaria isto maiusculado: O Homem de Tradição Invisível, um novo estereótipo. Ninguém olhou nunca para ele, este autodeclarado cavaquista, o *portuguesão*, como ficou conhecido na juventude, que proferia "centra a bola, seu macaco" referindo-se a futebolistas negros e dividia as pessoas por espécies de animais da selva, caracterizando-se a si mesmo enquanto "o *tipo* macaco": aquele que aguarda o fim das conversas para exibir a sua sabedoria.

Descendo de gerações de alienados, o que talvez seja sinal de que o que se passa por dentro das cabeças dos meus antepassados é mais importante do que o que se tem passado por fora. A família a quem devo este cabelo descreveu o caminho entre Portugal e Angola em navios e aviões, ao longo de quatro gerações, com um à-vontade de passageiro frequente que, todavia, não sobreviveu em mim e contrasta com o meu pavor de viagens que, por um apego à vida que nunca me assoma em terra firme, temo sempre serem as últimas. Segundo se diz, desembarquei em Portugal particularmente despenteada aos três anos, agarrada a um pacote de bolacha maria. Trazia vestida uma camisola de lã amarela hoje reconhecível numa fotografia de passaporte em que impera um sorriso rasgado, próprio daquele desentendimento feliz quanto ao significado de se ser fotografado. Ria-me à toa; ou talvez incitada por um motivo cómico por um dos meus adultos, que reencontro bronzeados e barbudos em fotografias de recém-nascida nas quais surjo sobre lençóis, numa cama.

E no entanto o meu cabelo — e não o abismo mental — é o que me liga diariamente a essa história. Acordo desde sempre com uma juba revolta, tantas vezes a antítese do meu caminho, e tão longe dos aconselhados lenços para cobrir o cabelo ao dormir. Dizer que acordo de juba por desmazelo é já dizer que acordo todos os dias com um mínimo de vergonha ou um motivo para me rir de mim mesma ao espelho: um motivo vivido com impaciência e às vezes com raiva. Devo, porventura, ao corte de cabelo dos meus seis meses a lembrança diária do que me liga aos meus. Em tempos disseram-me que sou uma "mulata das pedras", de mau cabelo e segunda categoria. Esta expressão ofusca-me sempre com a reminiscência visual de rochas da praia: rochas lodosas em que se escorrega e é difícil andar descalço.

A alienação ancestral surge na história do cabelo como qualquer coisa a que se exige silêncio, uma condição de que o cabelo poderia ser um subterfúgio enobrecido, uma vitória da estética sobre a vida, fosse o cabelo vida ou estética distintamente. Os meus mortos estão, porém, em crescimento. Falo e vêm como versões do que foram de que não me lembro. Esta não é a história das suas posturas mentais, a que não me atreveria, mas a de um encontro da graça com a arbitrariedade, o encontro do livro com o seu cabelo. Nada haveria a dizer de um cabelo que não fosse um problema. Dizer alguma coisa consiste em trazer à superfície aquilo de que, por ser segunda natureza, não nos apercebemos.

À saída do avião, evocando a amante de estadista que aterra horas depois do voo oficial, a menina Constança começava por desapertar o casaco. O bafo de Luanda sugeria a aguardada ausência das suas tias nos passeios pelo jardim em que, por simples milagre, não consta que tivesse sido apanhada de mão dada com o meu avô. Do estado do tempo ao estado do Estado, trocava dedos de conversa por uma bolacha dada à boca, molhada em chá. Encontro nela a hombridade do Papá, nas calças subidas de então, o casaco, o chapéu, uma hombridade que a corcunda de imigrante velho abateria. Constança era, entre nós, um assunto de intervalo das notícias, um reclame de dentífrico, de que a pena de melindrarmos a avó nos desviava, mas também pretexto de chantagem que irritava o avô Castro: ou nos dava dinheiro para pastilhas, ou "então e a loura?" — como se a respeito desta adivinhássemos mais do que a promessa de hálito fresco e eliminação do tártaro. Deixo-a aqui como Couto, a meio, abandonada num copo de plástico, entre escovas, baça de calcário, em memória da minha querida avó Maria, em quem instalou uma ciumeira para o resto da vida.

Nunca cheguei a fazer com o Papá o percurso de autocarro para a Cimov, que me aparece sob a forma de mito. Não sei como seria a cidade vista pelos seus olhos. Penso hoje no renque de prédios pelo caminho — pardos, na escuridão — como uma imagem dos seus pensamentos, do seu modo introspectivo no autocarro antes de amanhecer. Os contornos do dia eram bem claros para si. Sempre foi um homem de objetos, um latoeiro ambulante: primeiro, um homem de gaze, seringas, bisturi; mais tarde, de baldes, bálsamo analgésico, lâminas embrulhadas em papel, Bactrim Forte, termos, sacos de plástico, canetas, o bolso da camisa deformado por maços de boletins de totoloto e folhas anotadas nas quais calculava o algoritmo de chaves, garantia ele, vencedoras.

Nada existe aqui de romântico. O bálsamo e a tralha enferrujada eram apenas o que restava do passado, desencaixado, tudo fora de prazo, da vida de enfermeiro em Luanda que não precisou de esquecer e de que nunca se demitiu, preservando, aplicada aos seus, a mesmíssima rotina de injeções, prescrições de medicamentos e algumas circuncisões caseiras a sangue-frio a que, por pura sorte, todos os rapazes sobreviveriam. Ao mínimo espirro ou enxaqueca, administrava doses de antibiótico; e assim foi até ao fim dos seus dias e sem dar ouvidos a protestos.

Formara-se em enfermagem em Angola, educando-se de noite à luz da vela, o que pagaria com cataratas prematuras. Orgulhava-se de, ao longo de todo o curso, se ter alimentado de nada mais do que bananas e ginguba, dieta recordada cerca dos anos 90, neste outro hemisfério, com a mesma nostalgia com que aludia à manteiga e à marmelada dos tempos áureos da nossa família. Desde pequena o imagino a estudar seminu, numa cubata, de lanterna presa ao queixo apontada aos livros — como, numa síntese implausível de épocas e lugares, um inadaptado construtor de caminhos de ferro temendo, acampado, um ataque de coiotes —, travando uma luta contra a insónia, o calor, os mosquitos; mas bem sei que nada disto corresponde à verdade. Em Luanda, na casa do Papá, onde ainda passei férias, comia-se então margarina de uma grande lata, como eu nunca vira fazer. Areando panelas no calor da tarde, as vizinhas ouviam-me histórias de Portugal. Introduzia-as ao conceito de "escada rolante", a que elas reagiam cantarolando "sou feliz, não me falta nada". Ao amanhecer, não muitos anos depois, à saída de casa, a caminho do autocarro e da Cimov, carregado de uma humidade fresca a que também me afeiçoaria, o ar dos arredores de Lisboa trazia à vida inteira um indistinto cheiro a desinfetante.

Na madrugada em que nasceu o meu avô Castro, o seu pai estava no mar. Era isto numa mítica M'Banza Kongo, na província do Zaire, em Angola. Visto de longe, da praia, o cabelo louro do albino era um ponto de luz na paisagem. Pescava nas rochas, com uma lança, esperando ver passar um certo peixe sob a água. O peixe estouraria então, soltando sangue negro, tornando mais nítida ao pescador a sua própria imagem refletida no fundo. Por vezes, em madrugadas semelhantes, e estando a maré cheia, o homem erguia a lança ao alto abrindo um caminho no mar e percorrendo-o enquanto lhe apetecia, lento entre as águas separadas, diante da visão das ondas erguidas ao seu lado num muro alto. Não o faria estando acompanhado ou em apuros, mas para gozar um passeio sozinho. Ser, porém, ele mesmo a testemunha de um dom que não podia partilhar dava-lhe o sentido exato de ser escolhido. A graça parece contrária a termos um público: é uma oferenda para uso da solidão. No dia em que nasceu o meu avô Castro, o seu pai saíra de casa com um certo peixe na cabeça, uma coisa especial que vira passar por ali. A praia estava vazia, névoa pairava. Foi como se lançado sobre o único peixe vivo que o meu bisavô se equilibrou numa rocha, ganhando balanço, erguendo o braço e detendo-se no seu retrato — leite sobre óleo —, o cabelo numa trança comprida já o peixe rebentara em espessura e densidade. Em casa, a mulher deu à luz. O pequeno Castro, contaram-lhe depois, falara em vez de chorar ao sair para o escuro do casebre iluminado a óleo da pesca, tresandando a peixe como todos tresandavam, o que o pescador antevira. Talvez não haja praia nem peixes que estoirem em M'Banza Kongo.

Herdei do meu avô Castro uma coleção de canetas Parker de imitação que guardou dentro de uma mala durante uma década. Viera para Portugal em 84 com o intuito de tratar um dos seus filhos, nascido com uma perna mais curta do que a outra, num hospital de Lisboa. A perna exigia cuidados médicos inexistentes em Angola. Não veio por isso enquanto imigrante, para trabalhar, mas como pai, acabando por ficar mais tempo do que o previsto e depois, ao ritmo das operações e da fisioterapia, até ao fim da sua vida, para uma coda almejada à era de Angola. Em Lisboa, ficavam hospedados em pensões perto do hospital, como fazia e ainda faz um grande número de enfermos da África de expressão portuguesa enquanto duram os seus tratamentos médicos, ou por tempo indeterminado.

À entrada da Pensão Covilhã, mesmo na esquina da Casa de Amigos de Paredes de Coura, os doentes tomam um ar de

Lisboa. Trazem um penso num dos olhos, uma gangrena na coxa, o braço guardado num gesso já puído e tatuado, sob o qual se coçam com um pauzinho chinês. São os despojos do Império, Camões de ocasião embora tenham apenas nove anos, escusados à mortalidade infantil para o que lhes parecem umas férias urbanas e, à semelhança de todos, destinados a conhecer de Portugal, com alguma sorte, apenas o mundo de onde vieram.

Entrar na Covilhã é meter o nariz numa mala velha. A pensão tem não o aroma alcoólico que se sente nos hospitais, mas o cheiro a unguentos expirados combinado com o odor a podre das infecções e uma vaga nota metálica a sangue, traços de naftalina, numa mistura ao mesmo tempo química e orgânica, cortada por um travo adocicado de ketchup ou Old Spice, vertidos dos frascos para a mala por entre fios de cabelo e tintura de iodo, e inutilizando uma embalagem de Valium. O meu avô adormece neste cheiro com uma resignação cabal, perguntando ao meu tio se o quarto não lhe cheira a mulher. "É impressão — dorme, Papá", responde-lhe o miúdo.

Na tasca do lado, os doentes fazem conversa com os velhos em quem, embora os repugnem, despertam alguma compaixão. Levam o desportivo do dia deixado numa mesa para o quarto da Covilhã e festejam os golos do Belenenses ao domingo. A visão dos enfermos mexe com os velhos da tasca a quem, por vezes, tiram o apetite já em casa e causam vómitos, transportando-os à guerra e à juventude; mas são angústias caladas que eles disfarçam às patroas, dizendo que lhes caiu mal um ovo verde, ou que "o vinho do ti Zeca estava passado, o malandro". Aos miúdos, os mesmos velhos estendem às vezes um ovo verde, o que eles nunca viram, ou apresentam-lhes o ketchup com que lambuzam o nariz. "Puto, pede um desejo!", dizem-lhes, explicando que é o que se faz quando se prova uma coisa pela primeira vez, explicação que os miúdos não entendem.

E é assim que nesses dias, entre pisar cocó de cão, de chinelo no dedo apesar do outono, e namorar um *placard* de gelados Olá — razão para sobreviver —, os rapazes doentes provam um sabor novo e os velhos se redimem do nojo que eles lhes metem, um nojo que sacodem dizendo "pronto, pronto". Os putos fecham então os olhos e pedem um Perna de Pau. São nisso os velhos boas almas, embora apenas se tenham a si mesmos na cabeça ao longo da prova, aguardando a reação dos miúdos para sentirem alguma coisa enquanto os olham.

A Covilhã sobrelotada não é, em Lisboa, uma estalagem de vila, mas uma colónia de leprosos à beira da estrada, ao mesmo tempo no centro da cidade e ostracizada, porque para chegarmos a nenhures basta virar uma esquina suja. Da janela do quarto, os doentes veem por detrás de grades as traseiras do hospital, acompanham a recolha de resíduos e entretêm a promessa de quartos mais amplos, imaginados através das paredes cinzentas do que mais parece uma fábrica do que uma casa de saúde.

Muitas vezes, os doentes passam ali anos, tendo da cidade apenas um vislumbre, e do país somente o conceito de "chanfana" que lhes traduz nos dias bons a dona Olga — uma beirã talvez de Seia e dona da pensão —, os dias em que não chama a tudo uma pocilga, ao espreitar de raspão a confusão de malas, roupa suja e garrafas vazias que são os quartos dos doentes onde nunca entra e de onde sai o som de uma cassete debitando a lambada. A ideia de Portugal percebida na receção da Pensão Covilhã é a noção de comida típica com que começa a ignorância sobre qualquer país: um banquete de explicações rudimentares sobre o paladar dos rojões, o paladar da ervilha-torta, o paladar das papas de sarrabulho. *Ainda vai chegando para uma horta lá na terra*, pensam a dona Olga e os enfermos.

O meu avô guardou as canetas que me legaria numa das suas malas ao longo de dez anos, amarradas com uma guita e oxidadas. Vinha preparado para compromissos, assinaturas, contratos, quando o esperavam anos de um lavabo partilhado, anos sem uso para aftershave. Volvida uma década, sairia da Covilhã para São Gens, um bairro clandestino nos arredores de Lisboa, mandando vir de Angola a mulher e outros filhos, guardando as mesmas malas por desfazer sob uma nova cama, numa casa que também cheirava a mala velha.

2

O primeiro salão da minha vida escondia-se numa rua íngreme, em Sapadores, que viria a reencontrar por acaso, numa mudança de bairro, vinte anos depois. Andámos muito para lá chegar, eu e a minha mãe, que então gozava as férias de verão em Oeiras, hospedada em casa da avó Lúcia e do avô Manuel (os meus avós paternos), com quem passei a infância. Não andámos tanto nesse dia, contudo, quanto numa expedição ao Barreiro, de que, numa alegoria da minha vida, retenho uma interminável espera pelo barco a que imprecisamente chamávamos "cacilheiro". Embora não partíssemos do Cais do Sodré nem fôssemos à praia, mas arranjar o cabelo à outra margem, essa ida ao Barreiro cintila nas páginas de Ramalho Ortigão sobre as praias do Tejo. Vejo-a insolitamente aí, turvada pelo século XX, pela rede de transportes públicos, condição de possibilidade da história dos salões africanos. "Há peixinhos que amam seus filhos", escreve Ramalho falando da minha mãe e de mim: trutas que enterraram os seus ovos numa cova. Perdemos o último barco: só pode ter sido isso. Perdemos o último barco e passámos a noite no cais, iluminadas ambas a gás, e ao frio, deformando os penteados contra um banco de madeira. (Ou terá sido um sonho?)

De Sapadores, volta-me com tonturas de amoníaco descer umas escadas para uma cave exígua de paredes brancas, salão cujo excesso de zelo com a higiene, comum na pobreza, me pareceu aos seis anos luxuoso. Sobra-me pouco mais do que o rosa-choque da embalagem de desfrisante Soft & Free (ou seria Dark & Lovely?), anunciando, na variedade infantil, crianças negras de cabelos lisos, risonhas, modelos de vida instantâneos. Publicidade enganosa, perceberia eu no dia seguinte. O tratamento, cuja química abrasiva obriga ao uso de luvas, consistia, segundo me explicaram, em "abrir o cabelo", torná-lo mais maleável. (Essa ida a Sapadores fora, na realidade, precedida de um ensaio singular, perto de casa, na dona Esperança, a cabeleireira da avó Lúcia. Inconformada com o estado do meu cabelo, agarrou num secador e numa escova e, no intervalo de pentear a minha avó, esticou duas madeixas por caridade, para provar que não era um caso perdido. "Está a ver? Não lhe digo que a Mila tem um belo cabelo? É só esticar um bocadinho e — veja!" Saímos da dona Esperança de mão dada: a minha avó com a *mise* do costume, eu com umas mechas esticadas um pouco acima das orelhas, que não se pentearam para podermos mostrá-las em casa, ambas tentando esconder a descrença nesta solução milagrosa. O meu avô exprimiu a sua aprovação com um gesto de sobrancelhas, fazendo de conta que este "assunto de senhoras" não era da sua preocupação ou esfera de interesses, encomendando — também com as sobrancelhas — à minha avó a sua resolução improvável.) Abrir o cabelo era, de facto, outra coisa. Mentiria se dissesse que recordo o ritual operado em Sapadores, mas não deve ter fugido do habitual. Primeiro, devem ter-me sentado numa cadeira com uma almofada por baixo do rabo e eu devo ter desfeito o penteado improvisado que trazia. Do espelho, via além das minhas costas o salão, onde talvez houvesse mais pessoas. Alguém me terá separado o cabelo em quatro partes fazendo força de mais com um pente fino. Depois, alguém se terá esquecido de me proteger o couro cabeludo com a loção aconselhada, etapa preventiva normalmente dispensada pela experiência. Também não me lembro de como saí de Sapadores. O batismo era então o meu renascimento para o horror de pensar que me haviam esquecido entre as esperas necessárias ao efeito do produto e a impressão de falarem de mim nas minhas costas, a maledicência. Eu nascia, com um grau distinto de paranoia, para o meu cabelo e ao mesmo tempo para uma ideia de mulher. Nos pacotes de desfrisante, via-se uma menina que, segundo asseverava a minha mãe, não era negra, envergando um fato-macaco às pintas, a primeira vestimenta de que tenho memória: um fato-macaco a estrear que terei vestido para um aniversário. Horas antes do início da festa, pus-lhe uma nódoa; o que remendei cortando a nódoa com uma tesoura; o que remendei cortando ainda um pouco mais, esburacando o fato que, afinal, talvez nunca tenha chegado a estrear — e inaugurando uma série de métodos pessoais de disfarçar nódoas, como o de coser botões sobre cada medalha.

A "menina muito clássica" aprendera a coser botões com a dona Antónia, a costureira da avó Lúcia, que nos visitava uma vez por semana, passando tardes à mesma secretária a que aprendi a escrever, cerzindo e fazendo bainhas, os óculos no nariz pontiagudo. A dona Antónia, cuja cabeça anacrónica — *mise* impecável em cabeleira negra — me fartei de azucrinar, não me era tão querida quanto a dona Lurdes, cujo penteado esquecível nos visitava diariamente. Com a dona Lurdes, que deixava um rasto de lixívia e cuja casa visitei uma vez, nunca me faltou assunto. Vivia em São Domingos de Rana. Enquanto trabalhava, conversávamos as três na cozinha: eu, ela e a avó Lúcia — o que exasperava o meu avô Manuel, que então nos chamava para a sala, reclamando "não estejam aí as duas sozinhas". Com a dona Lurdes aprendi nessas tardes a arte de falar sem dizer nada, habilidade social execrada pelo meu avô Castro, mas que considero um princípio prático de grande utilidade moral. Perguntava-lhe pelos filhos — que foram ficando crescidos em São Domingos de Rana e de vez em quando nos visitavam, tímidos e corados, como se eu mesma não fosse ficando crescida na cozinha — e falava-lhe dos acontecimentos na escola, marcando o ramerrame quotidiano. Eu não fazia ideia de que vivia a reforma dos meus avós como a mascote de uma casa de repouso, montando construções de fósforos no chão da sala, convertidas mais tarde em bordados, confundindo diariamente "cotovelos" com "ombros" e "calcanhares" como se para marcar a passagem do tempo, motivo de lições que duravam tardes inteiras, ou fazendo cocó na carpete apenas para o poder examinar.

Perante o nosso modo de viver o molde único das nossas deformações e o momento em que nos encontrávamos, penso hoje que experimentávamos as minhas travessuras e os seus reparos como se não fossem mais que ontogénese. É porém a ignorância de que atravessávamos estádios do nosso próprio curso, salientada no meu encontro com a avó Lúcia e o avô Manuel, cosmicamente arbitrário embora projetado, o que fez dele um encontro entre pessoas além de uma relação familiar. "Estamos todos velhos", suspirava a minha avó no fim da vida, generalizando. Lúcia libertou-se dessa ignorância ao dar por nós adultos. O envelhecimento dos que a rodeavam era então revelador quer do seu passado individual, quer de que pertencia a uma espécie, como se fôssemos a derradeira geração, e nada viesse a suceder-nos.

Reveria Sapadores apenas duas décadas depois. Muito antes da mudança de bairro, e por muitos anos, a zona não passara de uma memória difusa de que me fui esquecendo por longos intervalos. "Sapadores" era então o destino indicado num autocarro com que por vezes me cruzava na cidade, tão absolutamente obscuro como o "Senhor Roubado" ou o "Poço do Bispo", lugares para fazer tranças, necessidade que tinha o condão de me ir ampliando Lisboa. Se me acontecesse ter de apanhar um desses autocarros, não juro que as minhas idas de infância a cabeleireiros não me fizessem supor já ali ter estado alguma vez, sem saber distinguir a verdade das minhas impressões. Em incidentes de percurso, ocorre por vezes esta sensação de déjà-vu, a de andarmos por lugares novos com a intuição de os conhecermos. Reparo, porém, com surpresa, tal ser a expressão exata da minha memória de Angola.

Guardo, a esta distância, a visão do Hotel Turismo cravejado de balas, ainda dos anos 90; o Teatro Avenida, a entrada do *Jornal de Angola*, um intenso cheiro a tinta, ruas em que não me saberia orientar. No emaranhado de gruas da atual Luanda, que recebo pela televisão, pouco mais consigo reconhecer. De tudo o resto retenho apenas a mesma ideia que fazia de Sapadores, uma ideia que nos chega quando andamos por onde já passámos. É como se Luanda ficasse ali para os lados de Odivelas, um destino de autocarro próximo, mas confuso. Num equilíbrio entre memória e altura, apercebo-me agora de a reconstrução de Luanda acompanhar a minha própria reconstrução. Nos troncos das árvores, nas portas das casas de banho públicas, escreve-se: "X esteve aqui". Como saber, pergunto-me, de que é legenda essa inscrição?

Esta é uma história de resultados fugazes: penteados que nunca soube manter e que, no dia seguinte, quando não no próprio, eram um desapontamento. Tenho aprendido muito a respeito de regimes e manutenções; em conversas ocasionais, cruzo-me com o hábito matutino de esticar o cabelo e o hábito hebdomadário recomendável de o hidratar, aplicando máscaras. Não tenho, porém, vivido nada disso, mas antes a realização de cada penteado como uma elevação seguida sempre de uma curva: um declínio. Os penteados — que são, admito, apenas isso — têm durado em mim o instante de sair para a humidade da rua, que logo os desfigura; ou para a almofada e as voltas na cama de qualquer noite, num combate com a minha natureza. Cedo à frivolidade, poderia dizer-se. Com o passar do tempo, o escrúpulo a respeito da frivolidade deu lugar à perceção da frivolidade do próprio escrúpulo, como se a moral de um livro pudesse radicar em deixá-lo ser como é, e não no que nele se diz.

Entre várias franjas, cortes à tigela, guedelhas *grunge* e o não haver nome definido para o meu despenteado triangular do início dos anos 90 (duas tristes mechas desfrisadas disparando dos lados e encimadas por um pseudorrabo de cavalo descolorado pelo sol), os penteados da minha família portuguesa protagonizam uma famosa fotografia de grupo. Assinalando o ponto em que parei de contar quantos éramos, a fotografia indica que somos dezasseis primos, número que, apesar de sermos realmente dezanove, fixei como certo, da mesma forma que ao longo de tanto tempo guardei os trinta e seis anos do meu pai, os meus nove anos do retrato de família, toda a infância um único ano. Na fotografia, estamos atrás de um sofá ao lado uns dos outros, em casa da avó Lúcia e do avô Manuel. Nas nossas costas, vê-se a tapeçaria que, nesse tempo, materializava o meu ideal de bom gosto.

Como para qualquer menina de nove anos, pentear o cabelo da avó Lúcia, com quem vivia, era uma das minhas ocupações favoritas. O seu cabelo exalava um perfume a antiguidade que jamais reencontrei: um cheiro a Feno de Portugal, tabaco e oleosidade, que aprendi a adorar. Espalhadas pela casa e por gavetas, encontrava fotografias suas da juventude, de quando o seu cabelo era ainda negro e reluzente, graciosamente composto num alpendre na Beira, ou esvoaçando entre pombos junto a uma fonte numa viagem a Itália projetada na parede pelo meu avô. O cabelo negro da avó ficaria pelo caminho ou, parecia-me então, renascera na cabeça de algumas primas, nas quais, embora ainda meninas, se reconstituía com força e intenção: um cabelo de mulher legado precocemente e cuja graça as aguardava, disfarçado na fotografia de grupo em franjas caricatas e farfalhudas, tapando-lhes a vista. Das primas que herdaram o cabelo da avó Lúcia, nenhuma podia por enquanto adivinhar a bênção que lhe tinha calhado: uma herança viva e vã. Enfiava o meu nariz no cabelo da avó Lúcia discretamente, tentando não perder a noção da minha força com a escova (ou "acaba-se a brincadeira"). Esse cheiro foi o primeiro lugar onde julguei ter origem, muito antes da imagem mental de pedras da praia, projeção de uma metáfora cruel. Costumo pensar que este cheiro é tudo o que posso dizer sobre a minha identidade. Um primo de visita comenta que sou "uma angolana mais que falsa". Tem razão. Para meu grande pesar, não é aceitável declarar à polícia de fronteira que a minha pátria é o cabelo de Lúcia. Saber de onde venho, no entanto, pareceria crucial para a história do meu cabelo, rememoração permanente não de esquinas ventosas de Oeiras por volta de 1990, não de pedras e cheiros, mas de uma origem concreta, uma origem no sentido habitual.

Surpreende-me então uma coincidência entre o que sou e a narração da minha origem. Apenas a partir da sua irrelevância, posso deter-me na memória de penteados, coroa estática assente naquilo de que distraem. Serem precisas ventanias para perturbar o meu cabelo não deixa de ser irónico. Tem resistido a todos os tremores como uma planta que sobrevive à quebra de um vaso. Fazer justiça a estas formas sensoriais de origem salvar-me-ia porventura do mal de pensar em mim mesma a partir de um estereótipo. Que preferível seria um cosmopolitismo autêntico a um paroquial cheiro de senhora, vestígio do cruzamento das vidas de um comerciante português errante pelo Congo, um pescador albino de M'Banza Kongo, católicas anciãs de Seia, cristãos-novos maçons de Castelo Branco, meus ancestrais? A minha declarada ignorância quanto à topografia de Luanda talvez tenha a única vantagem de me proteger de um cortejo de lugares-comuns da lusofonia, substituídos, todavia, por outros, a que nem sempre sou sensível, e que vigio como um guarda-noturno obeso. O lugar-comum mais evidente e literário, o de ver no cabelo uma imagem da mente, é a razão de ser da História do Cabelo, para que nunca tive muito tempo. História que apenas existe, contudo, por distração, como se durante anos tivesse esquecido a experiência em curso no alto da cabeça, num desleixo retrospectivamente metódico, para um dia ter assunto. A avó Lúcia cheirava ao sítio de onde vim, à minha terra, um cheiro a falta de arejamento, a pessoa aposentada, a luz artificial.

O pai da avó Lúcia, o proprietário português de uma caravana de bagatelas onde é hoje Kinshasa, partira para África recém-casado no princípio do século XX. A mulher, de saúde frágil, deu à luz a pequena Lúcia e outros dois irmãos, mas acabaria por morrer de tuberculose poucos anos depois. O pai mandaria então os filhos para Seia, de onde era a mulher, para serem criados por duas primas dela. As crianças cresceram aí aos seus cuidados como se fossem de lá. Eram todavia congolesas, o que a goma dos seus bibes não deixava adivinhar. Uma dessas crianças chegou a bispo. As outras duas, a minha avó Lúcia e a irmã, fizeram-se professoras. Das jornadas de caravana, vendendo panos, sabão, serapilheira e tachos, não se ouviu falar por muitos anos. Manuel, com quem Lúcia se casaria aos dezanove anos, descuidava esse passado de comércio, embora tivesse orgulho em saber a mulher africana, o que lhe emprestava a ele uma certa aura de homem do mundo, que lhe agradava. Foi por isso com naturalidade que lhe falaria de partir para África como engenheiro, a convite de uma companhia hidroelétrica, para construir barragens. Uma das consequências da colonização desse tempo era a difusão da ideia de que esses africanos, como o era a minha avó Lúcia, não regressavam de facto à sua terra quando para lá partiam em navios. Lúcia regressava à origem, embora sentisse que partia de casa — emigrava para o sítio de onde era natural: um modo de emigrar de si mesma. Chegariam à Beira, em Moçambique, depois de se casarem em Seia numa manhã húmida.

O meu bisavô comerciante foi ao longo de quatro décadas um fantasma de que não houve sinal. Talvez a certo ponto, lá por onde andava, nas margens de um afluente do rio Congo, tenha estabelecido uma hospedaria ou chegado a matar um preto numa rixa. Um dia, quando a avó Lúcia e o avô Manuel chegaram a Luanda, muito depois do desembarque em Moçambique, onde nasceria a maioria dos seus filhos, o homem bateu-lhes à porta. Os meus avós receberam-no como a um hóspede, cuidando dele até à sua morte com uma abnegação com que não havia sido preservada a sua memória. Regressara para morrer, descobrindo a filha sem que se percebesse como. Não sei dizer se sentia que regressara à caravana, se a um lugar onde enterrara um tesouro. Pode ser que a minha avó tenha chorado o pai ausente, tenha chorado a sua jovem mãe, ao longo dos seus anos africanos, dos seus anos portugueses. Estavam nela como um elástico posto no pulso para a lembrar de alguma coisa que jogava fora antes do tempo, distraída, e sem perceber o que ali fazia, como acontecia quando eu era pequena e lhe faltava a memória. Ninguém na família herdou a sagacidade do homem da caravana, embora todos tenham precisado de desafiar o desterro da sua jovem mulher.

Na reforma, a avó Lúcia preparava um chá para um dos seus irmãos, Justina, que então vivia no Porto e por vezes a vinha visitar. Na sala de estar do apartamento de Oeiras, a tia Justina gabava o tricô que ocupava a minha avó por esses dias. Comentavam uma com a outra a ação do anticiclone dos Açores ou a construção de outra autoestrada, até ao limiar de um arrufo de namorados ideológico. Vistas da sala, contra o pano de fundo da arbitrariedade que as unia, eram ali duas jardineiras ocupadas com um canteiro, abandonadas à pouca importância que davam à opinião uma da outra ("Tem visto a Vacondeus?") e dando-me a ver a mim, que testemunhava o seu encontro, como a cortesia é a condução atenta do desinteresse, algo que nada tem de nefasto.

Estando a tia Justina para aí virada, a visita era comemorada com um bolo inglês que ela fizera, impregnado do mesmo perfume que eu lhe sentia no pescoço ao cumprimentá-la à chegada — o perfume, aposto, das gavetas de sua casa. E então acompanhava-se o chá com o bolo, por entre suspiros dirigidos à sua oportunidade e sabor imutável: pouca coisa aliviava a sorte da consanguinidade como uma cereja cristalizada. Mastigar o miolo seco e maçudo dispensava-as por momentos da necessidade de fazer conversa. Eram cavalos do mesmo dono, vizinhos de estábulo, pouco mais que quaisquer outras duas almas tomadas ao acaso.

Uma praga de escaravelhos, *Rhynchophorus ferrugineus*, consumiu as palmeiras do Passeio Cesário Verde por onde eu me passeava com a avó Lúcia nesse tempo. Os escaravelhos voaram da Polinésia e da Ásia Oriental para o Sul da Europa e devastaram palmeiras do Algarve a Lisboa. Questiono-me quanto lhes terá levado o voo. No meu regresso a casa, recebem-me seis cotos de palmeira portentosos. O que pode ser dito rende-se ao que se consegue dizer por não me estar aberto lembrar-me mais do que sou. Precisamos de ajuda das coisas para nos recordarmos uns dos outros. O cenário tornou-se a cartografia dessa inaptidão. Cotos de palmeira são, todavia, posteridade e logro suficiente. As boas-vindas do futuro são estas amputações que agora, quando ousava enfim sondá-la, me dão a impressão de ter terminado a era do meu cabelo. Obsoletos, os calendários e a ecologia. As eras sucedem-se segundo os mandamentos incompreensíveis do ciclo de vida de espécies de animais menosprezados. Os funcionários da Câmara selam as zonas de abate para não lesar transeuntes e património enquanto tratam das árvores; sobem de capacete amarelo a uma escada móvel; decepam palmeiras com serras elétricas; a outras desbastam as copas desvendando a verdadeira altura dos seus troncos. Numa manobra engendrada por cenógrafos bíblicos, as metáforas do livro tornaram-se literais. Sucumbidas à calvície a que as vota a diretiva camarária, Dalila briosa, estas assombrações deixam de conseguir escrever-me. Oeiras fechou.

Quando, aos oito anos, eu era confidente de uma lojista que vendia lustres e cristais no Centro Comercial Europa, sob o prédio onde morávamos, as escadas rolantes eram uma novidade. Na loja, numa vitrina giratória a que encostava pasmada o nariz, eu admirava uma fábula na qual mochos, borboletas e escaravelhos de cristal adquiriam contornos azulados e lilases devido à entrada do sol pela montra da loja, que dava para a rua. No lado interior da montra, que se abria para uma tabacaria, desaguava uma escada rolante, namorada por mim à distância.

Enquanto esta contemplação decorria, a lojista queixava-se do marido, como se eu não a conseguisse ouvir. Eu não sabia que se podia entrever nas figurinhas a minha fortuna de bicho documental, em relação à qual a imobilidade dos cristais correspondia a um comércio entre expectativa e denúncia, suspensão e promessa. Exatamente como se um visitante de museu, detendo-se frente a uma obra, se demorasse numa representação do que surpreendera de súbito como a sua própria figura, tirando os óculos para ver melhor, tocando na tela a medo, lendo a legenda, e continuando depois como se nada fosse. Num intervalo dos queixumes da lojista, eu saltitava para a escada rolante onde me detinha vendo subir e descer os clientes. Novo salto de pulga, novo dedo de conversa. "Aonde foste?", perguntava-me a lojista; "cuidado com a escada!" A advertência entrava por um ouvido e saía pelo outro, como eu de saída para outra loja, outra lojista, outra amostra de perfume. Lévi-Strauss conta a história de um índio que acabou como porteiro da Universidade da Califórnia. Antes disso, e por muito tempo, vagueara pelas ruas perdido de fome sem que ninguém desse por ele. É mais ou menos o mesmo com a memória, não fosse essa a imagem justa das minhas deambulações pelo Centro Comercial Europa no fim de 80, a versão sublimada do meu testemunho do ritual do chá nos mesmos anos despenteada num fato de treino amarelo, ora comportada a escutar os adultos, ora absorta em devaneios que me são hoje tão opacos como seriam para qualquer estranho. Antes de a minha recordação ser documento e pastoreio, essas tardes sem país, entretendo e apoquentando lojistas, ou ansiando por um bolo que cheirava a perfume adulterado (e embora o cronómetro da nossa extinção conjunta estivesse já em andamento), foram o calvário urbano do nativo. Esta é a sua coda pacata cotejando rostos com nomes numa folha de presenças.

3

O amor ao supérfluo ajuda a entender o que somos. Regresso aqui revendo a única flor que alguma vez encontrei em São Gens, a casinha de telhado de zinco dos meus avós maternos nos arredores de Lisboa: uma rosa artificial comida pelo sol. Aquém de um certo limiar de privilégios, a dedicação apaixonada a coisas de outro modo dispensáveis pode não chegar a ter lugar. Satisfeitas as condições básicas de sobrevivência, porém, a entrega ao supérfluo distingue a nossa humanidade. A rosa artificial acode-me à memória contrastando com o meu fascínio pelas varandas exacerbadamente verdes de Lisboa que me intimam ao deambular pela cidade. *Ali deixam as plantas que more uma louca*, penso, olhando estes jardins confusos. O espetáculo de loucura exibido nessas varandas é um privilégio da cidadania das suas proprietárias. É também um privilégio da minha cidadania o meu fascínio inconsequente por tal manifestação de loucura e o desinteresse dos outros transeuntes. É como se apenas na nossa terra estivéssemos autorizados a enlouquecer em público ignorando quem passa, fosse esta uma opção.

O sonho frustrado do meu avô angolano de se tornar um cidadão português condiz com a rosa artificial que alguma vizinha ofereceu à avó Maria, por ela mostrar indiretamente que Castro Pinto não tinha vida para o supérfluo, ao contrário das loucas das varandas dedicadas às suas plantas por precisarem delas para viver. Loucura e cidadania plena aproximam-se então de forma inesperada. O medo de a cultura de um país poder sucumbir às mãos dos imigrantes refletia-se, em todo o seu ridículo, na toada elegíaca dos espirituais bakongo cantados para si mesmo pelo meu avô Castro no autocarro que o levava à Cimov, temendo a curiosidade dos passageiros e que eles pensassem que falava sozinho, tomando-o por louco. (Disse-me estar a dar as boas-vindas à morte, quando lhe perguntei porque cantava.) Temer ser tomado por louco é contudo sinal de não se estar em casa. Tomo por loucas as botânicas circunstanciais das varandas de Lisboa, mas poderia tomá-las apenas por portuguesas, suspensas dos edifícios sob a forma de infestantes. O descuido que sempre admiti ao meu cabelo ressurge-me enquanto sinal de que aqui me sinto em casa, como pressentia a minha família angolana em São Gens. Falo neste cabelo mas, sem prejuízo de sentido e precisão, poderia falar nesta cabeça.

O meu avô Castro, *kimpovela* (soubesse eu escrever em kikongo), por ter falado à nascença em vez de chorar, um homem que surpreendera um dia o seu pai a separar a água do mar ao erguer de uma lança numa aldeia onde não existe mar, não teve tempo para plantas, embora uma década de Cimov lhe houvesse mudado o corpo num resultado do exercício aturado da lavoura, cobrindo-o com um manto de que se foi tornando o conteúdo amargurado. Sob a camisa e as calças velhas, bem podia ter regressado de autocarro de um campo de algodão, o meu avô, seco e musculado, abdominais definidos, incoerentes. Saído às cinco da manhã, seriam oito da noite em São Gens no seu regresso, carregado com um termo enchido com as sobras da cantina da Cimov: batatas cozidas e algumas carcaças rijas. Foi com mãos de jardineiro e unhas cortadas à navalha que o avô Castro lavou o cabelo da avó Maria, tantos anos, grisalho e comprido, sempre com champô a mais que a fraca pressão da água não ajudava a tirar.

Ela soltava gritinhos de dor e prazer, dizia "Papá, cuidado" como se fizessem amor, enquanto ríamos na sala a uma distância de dois passos. Era um dos agostos da década de 90, em São Gens, as minhas férias de verão. Por vezes, penso agora, ninguém os ouviria, não estaria ninguém em casa para rir deles. E então eram apenas dois velhos num drama lento e perigoso (ela podia cair ao entrar na banheira, cair na banheira, cair ao sair da banheira), um chuveiro sem pressão para tanto cabelo, um grande desconforto. Maria encontrava a alegria no banho mesmo assim, no corpo esfregado com energia — roupa num tanque, e não uma pessoa apenas parcialmente viva. Por vezes, gargalhava. Quando os meus avós de ambos os lados eram ainda dois casais vivos, eu pensava neles como dois casais felizes.

A minha avó branca (de que forma dizê-lo sem soar a novela brasileira?) perguntava-me pelo cabelo: "Então, Mila, quando é que tratas *esse cabelo*?". O cabelo era então distintamente uma personagem, um alter-ego presente na sala. A minha avó angolana, uma negra fula chamada Maria da Luz (já o disse?), a Mamã, que ficou imobilizada por uma trombose ainda jovem, viveu a velhice sentada a uma mesa, ou à janela, admirando ao longe uma colina que a separava da Amadora (bem podia ser Moscovo), acompanhando o ciclo de vida de coelhos numa coelheira de pátio em que apenas havia panos velhos, fazendo conversa com as vizinhas que estendiam a roupa com o auxílio de paus altos, e era, como escondê-lo?, uma inválida de quem se poderia contar uma história negativa a partir dos sítios aonde nunca foi, da Lisboa que nunca viria a conhecer, do autocarro em que nunca entraria, do colorido das ruas em que nunca andou desviando o olhar do homem-elefante omnipresente — Maria da Luz orgulhava-se do meu cabelo. Conhecia Lisboa de ouvir dizer, mas Lisboa também é esse rumor benévolo. Da minha avó poderia contar-se a biografia monótona de um braço, de uma perna, que conheci enquanto minerais escamados e pesados.

No verão, eu saía de São Gens cedo, com primos, para a vadiagem, todos envergando fatos de treino unissexo, *sweatshirts* largueironas com capuzes compradas na Praça de Espanha; apanhávamos a carreira, ouvíamos no discman os Wu-Tang Clan, sem fazer a mais pequena ideia do que as letras diziam e imaginando que *"Parental Advisory/ Explicit Content"*, aviso que se lia nas capas dos discos, significava que eram genuínos, *real. "Watch ya step, kid"*, aconselhavam, *"protect ya neck."* Não é sem pudor que trago aqui o que a minha avó nunca viu: o roteiro turístico e parcial que então nos era Lisboa. Não creio que a Mamã tenha visto alguma vez um dos pombos do Rossio, um dos seus loucos, o rio Tejo, a ponte, o Chiado, o Colombo. Penso agora que Maria da Luz terá encontrado encanto no movimento da roupa ao vento. A roupa ao vento foi para ela Portugal. Aos doze anos de idade, não podíamos viver impunemente essa ignorância. A cidade truncada por onde vagueávamos decalcava-se na nossa vida interior, cujo curso tácito sobrevinha nos hiatos de penumbra entre estações de metro, em que se impunha entre os miúdos uma trégua de silêncio, ou era sobressaltada pelos saltos no discman de um CD de Cypress Hill, se acelerávamos o passo. Quais seriam as consequências íntimas do nosso conceito amputado de Lisboa, de as nossas esperanças andarem a reboque da reconfiguração dos Restauradores e do Colégio Militar, desvios no trânsito e no plano da calçada, da tubagem exposta sob tábuas de madeira, tapumes através de cujas frestas surpreendíamos o almoço e a higiene dos homens das obras, nossos conterrâneos, da perspectiva da abertura de *megastores* de discos, como se ali acorrêssemos para comprar café e luvas, admirar gatos à janela, beber uma ginjinha, posar com o Pessoa, e não apenas para, sem qualquer outro propósito, desentorpecer o espírito — e a vida dos lisboetas nos estivesse vedada, como a nossa lhes estava, e fossem eles os invisíveis?

Aguardávamos o fim das obras sem a menor impaciência e, com o tempo, estranho seria que terminassem, e o novo metro, a nova estação terminal, o novo shopping, passassem de promessa a realidade concreta e inaugurassem uma nova idade. Talvez este esboço não seja fidedigno e naqueles anos a Baixa não tenha sido um estaleiro desalentado. Apenas as obras nos foram, todavia, posteridade. De mim e dos meus primos, a pré-história de toda a intimidação, a vida da nossa curiosidade, a percepção partilhada de não ter sequer idade, de tudo isso sobraram apenas as prolongadas obras dos Restauradores, que obrigaram à trasladação da Bimotor, uma pequena loja de discos contígua à gelataria Veneziana, para uma estrutura envidraçada uns metros à frente, que aprendemos a estimar a ponto de, findas as obras, considerarmos a loja original um simulacro.

Não lamento que calcorrear este itinerário de atrações nos devolvesse uma visão parcial de nós mesmos, nem que a Mamã não tivesse conhecido Lisboa a fundo. Teria sido mais justo que Maria da Luz tivesse sujado os sapatos na poeira dos Restauradores, que tivesse pasmado diante do estaleiro de construção do Colombo, que no final do passeio se tivesse lambuzado com um sundae no McDonald's; que Maria habitasse em nós e fosse na Baixa uma pulga no nosso bolso. A vida hipotética da minha avó Maria, diante da qual o crescente abatimento do avô Castro era uma aventura auspiciosa pela Europa, resgatava essa aventura com a nota adstringente que advém da convivência com um inválido: a de, por uma assimetria na distribuição dos privilégios, não termos de que nos queixar. Tal significava, no entanto, que era a Castro Pinto, e não aos miúdos da casa, que cabia transportar Maria, ela mesma o propósito das suas madrugadas nevoentas, a destinatária incógnita da carta de despedida que eram aqueles anos europeus: sobre o arco da coluna, nas mãos ásperas com que lhe lavava o cabelo, na caminhada para o autocarro, de que a perna morta a privava sem remédio, tornando-se o corpo do Papá o hospedeiro da madureza de Maria. Não era num lugar longínquo, num paraíso a que a vida em Portugal viesse a conduzi-los, que residia a salvação de ambos, mas na perna morta da minha avó, toda a sua velhice europeia um estorvo redentor. A vida de Maria da Luz não se salvaria com uma existência média e digna em Portugal, mas dando-se-lhe a espreitar a nossa aparência de Lisboa, onde ninguém se apercebia de que andávamos sozinhos, e se espelha limpidamente na memória que dela me ficou: um estaleiro de obras que não foi senão *recordação da vida*, como escreveu Nietzsche sobre o seu pai.

Uma tarde víamos na televisão a apresentação de um grupo folclórico num programa transmitido em direto de uma vila da província. Ao som dos cantares, abanei instintivamente o corpo acompanhando o ritmo, para espanto da avó Maria. "Olha-me para ti a abanar o rabo como estes tipos!", notou um primo entre gargalhadas apontando para mim, inepta aprendiza de kizomba. Chamou-me "portuguesinha" o verão inteiro, fazendo-me corar. O insulto afetuoso atestava a crença errónea de em Portugal se ouvir e dançar folclore. A noção caricaturada de nacionalidade que chegava a São Gens pela televisão — e era questionada pelo correr da vida doméstica que, na sua crueza, amesquinhava a ideia de caricatura e a de nacionalidade — conduziu-me à percepção retrospectiva de haver um desencontro entre o que nos cabia e um estereótipo. Dizer que nas nossas idiossincrasias saíramos da pena de um escritor colonial seria equivalente a lembrar com cinismo a uma excursão enternecida de contempladores de amendoeiras em flor que estas florescem todos os anos. A semelhante admoestação respondem os excursionistas fiéis, regressando todos os anos para testemunhar a repetição da peculiaridade de cada amendoeira, de cada primavera, de cada excursão. O modo de os outros tratarem o meu cabelo simbolizou sempre a confusão doméstica entre o afeto e o preconceito, o que vem desculpando a minha falta de jeito para cuidar dele. Trato-o como faria uma angolana mais que falsa ou uma portuguesinha, pensarão os da casa. Vivo as saudades de São Gens, todavia, enquanto saudades não da pessoa que nunca poderia ter sido, mas de uma caricatura.

Pergunto-me do que falaria a avó Maria com as vizinhas à janela, que assunto teria. O que pensaria do mundo visto pela televisão, um canal de luz? Que presunção a minha dizê-lo, suponho eu, esperando ter razão para me envergonhar. Uma pessoa não precisa de quase nada para conservar em si um fogo aceso, um motivo para se rir. A vida anterior à queda da avó Maria parecia ter-lhe chegado para as lições que me dava como se vivesse então o seu apogeu, depois de um período propedêutico em que conseguira deslocar-se e fora independente, e não o contrário.

Em Oeiras, antes dos salões, dos autocarros e dos cacilheiros, fui levada a uma dona Mena do terceiro andar, uma senhora mulata que arranjava cabelos em casa, mas já não tenho disso quaisquer imagens, senão a do lavatório adaptado na casa de banho e a do secador de pé que havia numa sala, o primeiro do longo ciclo do pesadelo de esperar que, entre os rolos, o cabelo secasse ganhando uma forma. Cheguei a casa de rabo de cavalo. Fotografaram-me para um novo passaporte verde, em que surjo com um grande buraco nos dentes da frente. Não me lembro da juba do dia seguinte, mas ostentei-a decerto com orgulho. Revia a dona Mena com frequência no elevador: perguntava-me pelo cabelo e dava-me conselhos, um marcador externo da minha desilusão. É assim a vida enquanto somos pequenos: um enjambement de vacinas, mudanças de fralda, colos alternados, cortes de cabelo, mãos a que dar a mão para atravessar a rua, a que primeiro respondemos com berraria e depois nos habituamos. A custódia partilhada do meu cabelo exprime uma condição humana que as nossas birras de adultos tentam escamotear. Talvez eu deva dizer que é assim *desde* que somos pequenos, que a vida se parece com a sustentação contínua de um interregno de passividade, durante o qual nos fazemos gente. Uma pomada para o rabinho assado, a dissuasão quanto ao cabimento de uma franja nova ou do barbear de um bigode de família, um banho contra os piolhos, talvez sejam estes os nossos dramas maduros, administrados pelos outros, numa conjugação solidária à qual apenas nos cabe assentir.

O rabo de cavalo haveria de perder-se no poço em que caíram os penteados e de que sou ainda capaz de resgatar um ritual a que me dedicaria por uns meses, anos depois, em que dormia de rolos esperando que o cabelo secasse durante a noite, e sem ter como pousar a cabeça na almofada. Foram meses torturantes ao longo dos quais sonharia com frequência com Jesus, a quem apelava antes de dormir, relendo, na *Tradução do Novo Mundo das Escrituras Sagradas* pela qual a avó Maria acompanhava o estudo bíblico das testemunhas de Jeová, os versículos da última homilia que me cabia resumir à avó Lúcia. De manhã, penteava ao espelho os caracóis ainda húmidos que tratava como um jogo, até o efeito dos rolos ser anulado na tentativa de compor um penteado.

Eis-me diante do espelho pela manhã, quando todos os esforços resultam ao lado, e vem-me esse tempo doce, anterior à repercussão das frustrações estéticas num enjoo vivido ao longo do dia como uma falha moral, uma maldição. O tempo em que errar no penteado é um pormenor despiciendo, em que não fomos ainda a jogo nem dominamos a arte de nos enojarmos com a nossa aparência. É uma tão curta amnistia — doce, sim, porém tão vã — que não podemos sequer nutrir a esperança de acarinhar a sua recordação. O meu desapontamento com o cabelo acompanhou-me ao longo de uma transmutação, de um prurido insignificante até uma urticária abrasiva: a transmutação da estética em moralidade, do secador em juiz, da falta de jeito em fatalismo, do penteado abortado em culpa, danação — da cabeleireira bruta em psicose. Fazer as pazes connosco parece-se, penso para comigo, com fazer as pazes com a nossa ascendência, como se estarmos bem na nossa pele adviesse do apaziguamento de termos uma família. Separam-se então as forças — à estética o que é da estética, à moral o que é da moral — para no instante seguinte nos depararmos com a maneira como tal separação de forças não pode ter lugar. Percebermos que nos tornámos uma trapalhada entre o belo e a virtude, que expurgá-la, o que não podemos, seria um esvaziamento; que não é apenas a doce amnistia remota dos penteados malogrados da primeira infância que é passageira, mas que a transiência define também o intervalo em que imaginamos ter o condão de decantar os elementos da mistura em que nos tornámos. Posso até aprender a pentear-me, não posso porém fazê-lo na pele de outra pessoa.

A casa de São Gens fora mobilada pelos irmãos da congregação de testemunhas de Jeová, a cujo culto a avó Maria se deslocava de carro uma vez por semana, seu único passeio, em que via o que conhecia das redondezas pelo vidro no caminho e nos escassos minutos que os irmãos demoravam a pô-la e a tirá-la do carro. Os irmãos vestiam-se de fato para darem o testemunho, andando lado a lado pela rua como se não quisessem abordar ninguém, ou parando a uma esquina, um banco de jardim, dos quais lançavam piropos esperançosos às pessoas, acenando-lhes com um panfleto ilustrado em que ressaltavam cachos de bananas e ananases.

Seriam os irmãos que aliviariam a minha avó, ocupando-lhe os tempos mortos, fazendo-lhe uma visita, contando um caso da vida, trazendo-lhe uma jarrinha para pôr uma rosa artificial, consertando a televisão, num desinteresse sem desfalecimentos, saídos de um carro de óculos escuros e disfarçando o ar de mecânicos naturalizados, as unhas sujas da oficina limpas para o culto mas ainda enegrecidas, e procurando em si mesmos por um dia as maneiras dos clientes. Convocando-os, devolvem-me o moldavo que vi anos a fio num café, aos serões, vestido de fato para beber um copo de aguardente agarrado com a mão suja de tinta. Tinham uma vida dupla, quero dizer, os anjos da guarda da minha avó Maria, na serena entrega em que eu vira fanatismo, plenamente convencidos de estarem entre os escolhidos, sem nunca se perguntarem "mas porquê eu, se somos tantos?", uma existência para que encontravam recompensa, aos domingos, no Salão do Reino: um pavilhão em que se sentavam em cadeiras de praia. Talvez a sua bênção fosse essa, a de estarem dispensados de ceticismo. Estendiam-me uma fatia de ananás, estes homens, para quem a cada esquina há um resgate latente, tratando-me como um parente perdido do rebanho, desdentado. Surpreendiam-me em São Gens a tratar das unhas da minha avó à mesa da sala, enquanto ela comia broas de mel que lhe trouxera a "manicura" meio às escondidas; ou procurando eu por uma pulga no colchão do quarto escuro, ao fundo, na cama em que Maria dormia e sob a qual, como se não tivessem passado muitos anos, e por não haver espaço, se guardava a bagagem da vinda de Luanda, seu batismo de voo. Diziam-lhe, então, inestimáveis, que "está linda, toda contente com a sua netinha, que sai à avó".

4

Quando o cabelo era para mim uma insignificância, temíamos um bando de vândalos que roubavam mochilas, relógios e ténis aos miúdos à saída da escola. Corria o ano de 92. O líder do bando, um indigente que engravidara precocemente uma rapariga, era conhecido como O Corvo e foi um dia entrevistado pelo jornal da freguesia. Morríamos de medo do Corvo, como se este planasse sobre os pavilhões da escola à espera de nos abocanhar no curto trajeto até ao autocarro em que regressávamos a casa. Eu não sabia, nesse tempo, se era mais seguro correr para o autocarro, também repleto de malfeitores, em que um motorista louco seguia a cem à hora quase capotando nas rotundas, se seguir para casa a pé por um túnel em que um grafito me aconselhava a destruir as ondas e não as praias. O Corvo podia ver-nos sem que o víssemos, pensava eu. De vez em quando, lá se chorava mais uma mochila Monte Campo ou outro par de ténis Redley. Em dias piores, um desgraçado de dez anos era mandado nu para casa. Nos intervalos das aulas, os miúdos corriam às traseiras dos pavilhões ao grito de "está ali o Corvo!". Nunca vi ninguém, contudo.

Não havia Corvo, penso hoje. Não houve assaltos nem paragens de autocarro vandalizadas, vidros partidos, não houve sequer uma rapariga engravidada. Tenho diante de mim fotografias de família antigas que folheio à procura de sentidos, ligações, uma explicação para tudo. As explicações que procuramos são, por vezes, um bando nunca avistado. Não existe explicação, embora não falemos de outra coisa.

Cheguei a Portugal em 85, vinda de Angola. O meu pai precedera-me em um ano, regressando para um novo emprego. Fora no final de 70 em Luanda, com pouco mais de vinte anos, que conhecera a minha mãe. Quando eu for a última testemunha, e já não me lembrar se foi nos correios, no consulado, na televisão, se na praia que os meus pais se conheceram, os meus netos consolar-se-ão com o livro deixado a meio que é quanto sei, quanto saberão, sobre o namoro e o casamento dos meus pais. Quando já não me lembrar se a minha mãe levava o cabelo solto ou um toucado de missangas, se a cauda do vestido era comprida, se tudo se deu em privado, se na conservatória, se na praia; quando do passado restar apenas a cauda, a beleza da tal vizinha, o apuro daquele tempero, o amarelo de uma balaustrada, o cheiro a tinta de tudo, dir-me-ão "repete, avó" os meus netos, e eu adornarei o amarelo de bolor, acrescentarei ao tempero jindungo, adornarei a vizinha com um chapéu, numa tentativa de eu própria não desaparecer, não me deixar engolir. "O vosso bisavô tinha uma lambreta parecida com um gnu, e assustava Luanda inteira", poderei contar-lhes. Tal será o que chegou a mim, como se os nossos anos de namoro e juventude apenas pudessem resistir ao tempo enquanto mito. Imagino a lambreta do meu pai circulando por uma Luanda que é o enfeite da extinção dos meus antepassados. Ela assinala o itinerário que imagino para esses anos: o mufete de domingo em casa do avô Castro; uma casa no bairro do Prenda; outra no Quinaxixe; o sotaque da minha mãe, "preto no branco", como se dizia; vizinhas de que apenas sobrará a memória de uma rara beleza. "Como era bela a vizinha, como era larga a cidade, como era manso o gnu." Acompanho o rasto da lambreta pelas ruas, sabendo de antemão que nos conhecemos uns aos outros por telegrama. "Ao contrário de tantos portugueses, os vossos bisavós não regressaram a Portugal nos anos 70." Costumava pressentir no avô Manuel uma certa indiferença pelos que regressaram. Dizia-me não ter de que fugir, que estava em casa. Viria com a avó Lúcia para a reforma no início de 80, tratando Portugal como estância de repouso. É assombroso pensar que apenas lhes conheci essa reforma, que simplesmente não existiram na minha vida enquanto população ativa.

Então serei eu bisavô. Respirarei as idas à natação dos meus bisnetos, cloro, mergulhos desajeitados, primeiras braçadas, cumprindo o que foram um dia as peripécias de Castro Pinto, de Manuel, de Lúcia, de Maria da Luz. As peripécias do pequeno Tico, amantíssimo bisneto, da pequena Lisa, a nossa caçula, no cabelo de quem ensaiarei não sonhos frustrados, mas penteados frustrados quando as mãos já não o permitirem.

Um dia, o livro alimentar-me-á a mim como se mostrasse a alguém um álbum antigo dizendo que até era bonita, como as testemunhas de Jeová diziam à avó Maria da Luz para a consolar. Talvez nesse dia me seja claro como toda a infância é um álbum de infância — no dia em que o livro for o meu oxigénio e eu já não me lembrar do que nele conto, e a pieguice da memória for ultrapassada pela pieguice do fim. E acabarei nessa vaidade comigo mesma, folheando o livro, vaidade que é o fim de se ser um indivíduo, enquanto à nossa volta alguém se atabalhoa para nos dar à boca um copo de água, uma toalha húmida, uma palhinha, um termómetro, por entre frascos vazios, treva, fedor e comandos de televisão; enquanto se festeja um aniversário e a consciência me segreda que já chega, basta, *ide para casa*.

A avó Lúcia e o avô Manuel mudaram-se da Beira para Luanda no início de 70, levando consigo os filhos que ainda não eram independentes. O meu pai percorria a cidade de lambreta, por vezes carregando uma grade de cervejas, que deixava cair pelo caminho para felicidade dos transeuntes. "Não era um corvo?", pergunta-me o Tico. "Repete, avó", fossem estas as minhas últimas palavras.

5

O tempo em que eu não me lembrava de ter cabelo durou catorze anos. A natureza providenciava-me até então um jeito qualquer que eu domava com ganchos, ou então usava o cabelo curto, um penteado igual ao que a minha mãe usou muito tempo. O cabelo curto, explicara-me, moldava-se tapando a cabeça húmida com uma toalha e dando pancadas em círculos para que ficasse "redondinho". Em pequena, aos fins de semana, eu, o meu pai, primos e uma amiga da escola apanhávamos o comboio até ao Cais do Sodré para passar o dia em Lisboa, ou preparávamos farnéis, para piqueniques em Carcavelos ou no Estádio do Jamor, que culminavam com sessões de máscaras feitas a partir das ervas da mata, fáceis de espetar no meu cabelo seco. Tinha o cabelo ideal para o Carnaval, o que me orgulhava.

Era o tempo da novela *Tieta*, que acompanhei de costas para a televisão, engolindo as gargalhadas ao longo de meses, devido a um palavrão na canção do genérico. Tal canção proporcionaria a primeira exegese da minha vida em torno do verso "Tieta do Agreste/ Lua cheia de tesão", que apenas poderia querer dizer "Lua cheia de pilinhas", concluí com os meus primos, embora tal nos parecesse ininteligível. Porque haveria a Lua de estar cheia de pilinhas, perguntava-me, e como enchê-la? Víamos a sugestão das ditas nas fotonovelas alemãs que um vizinho tinha em casa e terminavam com raparigas em pré-desmaio, prostradas, e cobertas de leite. "Mas leite *porquê*?", questionava-me uma vizinha. "Não vês que elas têm ar de fome?", respondia-lhe eu prontamente. Era assim mesmo, pensávamos, conformadas e satisfeitas, saindo para brincar às enfermeiras e aos médicos, sujeitando os mais novos a castigos em que tínhamos autorização para nos roçarmos uns nos outros e darmos beijos aos primos como se dava na *Tieta*. Os mais velhos ouviam música de uma cassete dos Nirvana em cuja capa um bebé boiava na água. Numa canção, falava-se num mulato e num mosquito, palavras com as quais sentia afinidade, mas cuja ligação ainda hoje não percebo. Era talvez sobre Luanda, sobre paludismo.

Na escola, circulava na altura o mito das meninas que perdiam a virgindade a fazer ginástica ou a andar de bicicleta, rompendo o hímen. Num diário desse tempo, fechado com um minúsculo cadeado dourado, escrevi um dia que achava que perdera a virgindade. ("Acho que já fodi.") O diário foi apanhado por um tio que o mostrou à minha avó. Eu convencera-me de que fizera amor com um primo mais novo, para mal dos meus pecados à mesa do jantar, apavorada com a ideia de a minha avó tocar no assunto. O problema não era a transgressão que suportava com a naturalidade de quem acrescenta uma flor a um *bouquet*, era a perspectiva da menção à mesa ao palavrão usado no diário. Fora isso, afinal, a confissão: um pretexto para testar o uso de uma palavra nova, como ocorre por vezes — não ser a confissão que encontra as palavras certas para se exprimir, mas antes o que é suscitado pela vontade de usar certas palavras, de escrever de um certo modo: um recreio da linguagem, à semelhança daquilo que são, com frequência, os diários.

Poderia fazer-se a narrativa animal desse pavor vivido na iminência de uma inconfidência, em que um calor sobe à cabeça e as mãos ficam frias, no intervalo entre colheres de sopa. A avó Lúcia era nesse ponto o contrário de uma terrorista, que nos protegia quando temíamos e nos aliviava o afrontamento soprando-nos para dentro do pijama, abrindo a janela, baixando-nos a febre. De que modo tocar nesses dias em que se ia e vinha da escola, se faziam os deveres, se adiava o banho cujo fim se protelaria, se ajudava a pôr a mesa, se viam as notícias, se comia pensando na posição dos cotovelos e se ouvia a novela até serem nove e meia? Essa imortalidade não literária em que não há na vida uma doença, um único incidente maligno, salvo um nariz entupido, uma laringite acalmada com uma inalação. Talvez a imagem certa seja mesmo essa: a de se passarem longos anos, afinal poucos, respirando vapor quente com uma toalha sobre a cabeça enquanto a água arrefece — e transpirando. Era disso que eu precisava agora, meia hora de inalação da minha infância, o único tributo digno, mas até para isso é preciso um nariz entupido.

Havia quem dissesse que eu fazia o que queria do meu pai, um jovem calvo e ruço que fora em vidas passadas a criança mais loura da vizinhança, eleito Menino Jesus de um presépio na Beira, e que revejo num álbum de família empurrando um berço de bonecas — um menino na mão das bruxas, como aprenderia a dizer anos depois. O menino louro fez-se, à data em que eu nasci na Maternidade de Luanda, em 82, um jovem de caracóis desalinhados e barba cerrada. Tínhamos, volvidos oito anos, gostos simples: Trinaranjus de maçã, que beberico de uma palhinha numa fotografia histórica, em Cascais, frango assado e bitoques. A fotografia do Trinaranjus repousa numa caixa velha a que retorno muitas vezes. Não é preciso quase nada para fazer história. Orgulhava-me de saber que tinha um passaporte e de conhecer Lisboa, aonde os amigos da escola nunca iam e se estendia, na minha cabeça, pouco além do Parque Eduardo VII, com a exceção marcante da Feira Popular, onde sempre experimentei o prazer do medo à descida da roda a caminho do solo dando a impressão de o vento a mover. O meu pai levava-me a andar de pónei e eu afetava umas vertigens. Espelhos mágicos mostravam-me como eu seria um dia, numa repetição maravilhosa que me consolava. Foi num desses passeios que nos abordaram numa rua de Lisboa, em que seguíamos de mão dada, perguntando se éramos da mesma família, eu e o meu pai, com uma curiosidade abominável.

Ainda esquecida da minha farta cabeleira, passeámos na Praça da Figueira numa noite de sábado. Eu desenvolvera um modo de me deslocar muito depressa, correndo agachada por cima das grelhas sob as quais passava o esgoto, à frente da Pastelaria Suíça. Numa fotografia a preto e branco, danço com um chapéu de chuva no centro da praça, ao serão, radiante, exclamando "Olhem!" com a exuberância que me caracterizava, sumida agora para o murmurar com que acompanho estas linhas. O cabelo lá está, em juba, pois não me devo ter penteado ao acordar. Recuperei essa fotografia este ano, de um móvel que os meus avós paternos tinham na sala: um mosaico de imagens de todos nós, filhos, netos, bisnetos, casamentos, formaturas — nenhum batizado na minha geração, exceto o meu. Numa prateleira, uma fotografia da avó Lúcia e dos irmãos em crianças, em Seia, junto a livros sobre a Segunda Guerra Mundial, uma obsessão do avô Manuel que aprendi a compreender enquanto criptojudaísmo, sobre o qual nunca me falaria. Dizia "Leninegrado" com a gravidade com que a minha avó, agarrando um Português Suave, dizia "gineceu".

Soube que no gineceu da sua casa de Luanda, a saleta onde as minhas tias conversavam ouvindo as peripécias das suas futuras cunhadas, todas fumavam às escondidas, inibindo a entrada do avô dando a ver uma delas em roupa interior, junto à porta, visão de que ele fugia como do demónio. Não se falava de sexo na casa de Portugal, embora eu ajudasse a dona Lurdes a dobrar as cuecas e as meias do avô nuns rolos divertidos. Ele fechava-se na casa de banho horas a fio "a fazer a toilette".

À sua cabeceira sempre repousou uma imagem da minha enigmática bisavó, uma judia evidente. A imagem acompanhou-o pelo menos os trinta anos da sua Florida em Oeiras. A minha bisavó persiste nos olhos e nos narizes de algumas tias, e persistiu sobretudo nas suas feições infantis, reencontradas em fotografias e vídeos quando eram ainda meninas de Viena perdidas em Moçambique, primas afastadas dos fios lisos da base da minha nuca. Há uns meses perguntei a duas pessoas como se chamava essa senhora judia e obtive respostas divergentes, uma divergência premonitória. Na fotografia, a bisavó Conceição ou Josefina tem um penteado finissecular moldado à nuca com um pente e a cabeça posta ligeiramente de lado, o olhar perscrutando o vazio, dramática.

Conceição ou Josefina fora criada em Castelo Branco como filha única de um médico viúvo e maçom. Sabe-se que tocava piano, falava francês, escrevia versos e vinha agarrada a um dote, como bem percebeu o meu bisavô, um oficial do exército mais humilde que a perderia para o cancro na flor da idade, casando-se de novo meses depois. As suas tardes de piano seriam retomadas pelo avô Manuel já em Moçambique, forçando os filhos a ouvir música pela tarde, ensinando-os a distinguir os instrumentos da orquestra, como fazia aos netos, em Oeiras, quando lhe apetecia ter companhia. De resto, as tardes de música solitária da minha infância, vestígio da menina de Castelo Branco, que me ensinariam que a música não é um adorno, mas uma ocupação exclusiva (Manuel era adverso não a música de elevador, mas à própria ideia de música de fundo, banda sonora), eram nele um assunto umbilical e estritamente privado.

Penso hoje na bisavó Conceição ou Josefina enquanto tuba constante, o baixo que o meu ouvido destreinado melhor distingue. Que dizer do outro clarinete, ténue por vezes, por vezes estridente, que era a minha trisavó macaense, a senhora desposada por um coronel destacado em Macau a quem devemos os olhos amendoados da nossa infância, que o repuxar da fronte pelas tranças sempre salientou em mim, mas que encontro igualmente nas primas portuguesas que herdaram o cabelo da avó Lúcia? Desse clarinete nunca quis Manuel ouvir palavra, considerando-o uma ninharia, à semelhança do que era toda a forma de distância num homem que conduzia a sua origem como um maestro calando músicos com as mãos, erguendo levemente o queixo ou fazendo uma cruz teatral com os braços.

O judaísmo foi silenciado não apenas pela guerra, que acompanhara, segundo contava, ao som da Orquestra Caravana, no Condes, nos Restauradores, mas sobretudo pelo catolicismo da avó Lúcia, por quem dizia ter-se apaixonado ao vê-la descer uma escada, em Seia, para onde fora ao serviço da Hidroelétrica da Serra da Estrela, antes da partida para Moçambique. Com uma sensibilidade dogmática ("A tua avó é uma pessoa muito sensível", dir-me-ia ele, na lição mais importante da minha vida), a avó Lúcia, que estudaria teologia na Covilhã, gerou apenas ateus, em alguns dos quais cheguei a surpreender uma comoção agnóstica, um "ai meu Deus" vindo do estômago e antigo perante aflições. O seu era um catolicismo sentimental, em que se permitia aceitar os outros como eram com um decoro impecável. A mim ensinou-me a ir à missa deixando o assado de domingo no forno, e a rezar o terço. Comíamos peixe congelado à mesa da sala rodeados de *Últimas ceias*. À saída da reunião de catequistas — uma reunião de penteados já esbatidos numa cave mal iluminada em que, no fim, me admitiam para um chá das cinco — esperávamo-la, eu e o meu avô, com o que recordo como uma sensação de absoluta segurança, que descreve todo esse período.

Aos domingos, no fim da missa, o avô ia buscar-nos à Igreja de Nova Oeiras, cujo monsenhor grisalho tratávamos com familiaridade e eu julgava ser o único padre existente. É à minha avó que devo o batismo, aos onze anos, para o qual me preparou com esmero. Fui penteada pela minha mãe, com três carrapitos presos por três lacinhos. Lembro-me de, sem que eu o soubesse, a avó ter encomendado ao coro da igreja o meu hino predileto, que a caminho da pia batismal, a meio da eucaristia, fez apoderar-se de mim a comoção que me transmitira e que era a forma da sua crença; não a lágrima fácil, espontânea, mas o saber aguentar no olho a lágrima, trazida pela emoção com um nó na garganta que, embora doa, revigora. Falava pouco do Antigo Testamento, noto agora: a nossa vida era posterior à Boa Nova, o que é verdade.

Não costumava maçar a avó Lúcia com perguntas sobre Jesus. Em relação às barbas do meu jovem pai, à guedelha do vizinho do quarto andar, não era a minha vida a de uma criancinha curiosa chamada a Seus braços? Era. Não vivia Ele lá no prédio, saindo à tarde para a praia de prancha debaixo do braço, passando pelas nossas lições de bicicleta, dando-nos um calduço, dizendo-me "Tás cá com um cabelo, miúda!", metendo-se com o porteiro, um caçador calvo que me dava a provar perninhas de rã panadas, a que eu respondia com um ávido "Blhec"? Não estava Ele na geleia e na manteiga de amendoim das torradas dos estrangeirados da frente, um casal de médicos recém-chegados do Alabama, no sótão das barbies do décimo sexto andar, na dona Mena, a cabeleireira do terceiro, a de um rabo de cavalo memorável? Porque não haveria de estar Jesus entre a burguesia de Oeiras, que preservávamos com sobriedade e de que destoava o ninho de ratos que tantas vezes me anunciava, o meu cabelo ereto, herético, coçado com a mão pintalgada de canetas de feltro (sempre sujei tudo)?

O meu avô detestava que a minha avó cortasse o cabelo. Tinha um ódio solene à dona Esperança das *mises* e aos "penteados de galinha", como lhes chamava, o penteado das velhas. A avó Lúcia penteava o cabelo para trás, rematando com laca, e por vezes trazia-o pelo queixo. Abominou sempre a velhice, o meu avô Manuel. Comentava comigo as "minhas amigas", jovens apresentadoras da Galavisión e da RAI Uno cujos batons luziam no ecrã: "Já viu esta sua amiga, avô?". "Já vi, já."

O século XX acabaria em 2014, ano da morte do meu avô. No apartamento de Oeiras, agora vazio, percorro o caminho dos fios elétricos que ele fazia correr debaixo da alcatifa do corredor com o intuito de instalar parabólicas e sistemas de alta-fidelidade. O apartamento era o balcão de ferramentas do meu avô português. Passava as tardes à mesa a fazer cálculos no meio de uma pilha de papéis e extratos bancários. Escrevia "debitado" em todas as faturas, que acumulava para desgosto da avó. Nos tempos livres, ouvia música à porta fechada, batendo o compasso com o queixo. Era então parecido com a mãe judia, de olhar dramático no vazio.

Uma vez explicou-me que nem sempre era mau deixar uma coisa a meio, falando-me da *Sinfonia incompleta* de Schubert, que me ofereceu, tentando resgatar-me da lambada ("Avô, veja esta dança!"), mas o apaziguamento da incompletude eu ainda não encontrei, preferindo conformar-me com fazer passar tentativas frustradas por objetivos, cortando males e cabelo pela raiz, fazendo do pudor do assunto o assunto. Lembro-me de, ao domingo ao fim da tarde, num ritual sagrado, deitarmos fora juntos os jornais comprados durante a semana e espalhados pela casa. "Estamos a escolher jornais", dizíamos, conferindo as datas. Lembro-me de fazer silêncio, depois do almoço, para que se visse a Bolsa na televisão; da "mal-educada" da Filipa Vacondeus que mexia na comida com as mãos; de a avó se rir com o Comendador Marques de Correia, a quem nunca consegui achar graça; do pão duro que o avô mordiscava antes do jantar; do repúdio cultivado ao "vampiro de Boliqueime". Nos vasos nos quais Lúcia colecionava violetas, há hoje plantas mortas há uma década. Duas *Últimas ceias* e a *Ceia em Emaús* seguem para o lixo tresandando a tabaco. Cá de baixo, viu-se por muito tempo, no quinto andar, uma antena colada ao parapeito da varanda da sala — um delírio de engenheiro para quem a fita adesiva foi o que o Bactrim Forte fora nas mãos do meu avô Castro. Encontro uma régua na mesma gaveta de há vinte e cinco anos. A casa está vazia, as casas de banho adaptadas às necessidades da velhice, ao medo do desequilíbrio, das quedas, das bacias partidas. Tiro más fotografias e saio do apartamento pela última vez.

6

Apenas cerca de vinte anos depois das minhas caminhadas por Nova Oeiras com a minha mãe aprendi o significado da palavra "peripatético". Não se nos aplicava o termo. Não havia mestres nem discípulos. Circulávamos por Oeiras, onde ela passava férias comigo, hospedada em casa dos meus avós, como se tentássemos não acordar ninguém. Eu puxava-a pelo braço. Levava-a ao Centro Comercial Europa, à loja de lãs do senhor Jorge, à tabacaria, ao Café Londres, destinos que ela visitava com o espanto de quem esteve emigrado, dando conta de novidades das quais eu não poderia, por força do hábito, aperceber-me. Trocávamos dois ou três apartes sobre cabelo; ela catava-me borbotos da roupa e tirava-me remelas dos olhos. Aguardava que eu levantasse voo a bordo de uma Abelha Maia mecânica que havia à porta de um café. Passávamos à entrada da escola, de onde eu lhe apontava as janelas da minha sala de aula. Apanhava uma espiga da beira da estrada, e continuávamos. Aos olhos da minha mãe, a minha vila ia mirrando com os anos. Ela vivia a sua juventude em Luanda, regressando a Lisboa cada vez mais adulta. Estranhamente, eu não pensava nela como a mulher jovem que era, mas como uma pessoa sem idade. Ela era eu mesma regressada a Oeiras volvidos vinte anos. Dando-lhe a mão, arrastando-a para as minhas rotinas, tentava respeitar o seu sonambulismo, embora a paisagem a fosse assustando por mim aos poucos, mostrando-se renovada e diversa. "Ah! Agora há aqui um café", dizia-me, "A dona Esperança está tão velha", mas era tudo enquanto andávamos, exatamente como um emigrante chegado ao seu mês de agosto: "Agora *tu* é que me vais mostrar Oeiras". O passeio era um exame sobre o meu cotidiano. Exibia-me, propondo atalhos. Esses passeios caracterizavam-se, como disse, por não serem lições; eram mais como quando uma pessoa apresenta a outra as obras que fez em sua casa. Eu levava-a comigo a ver montras, dizia-lhe o que queria que me oferecesse como não ousava dizer a mais ninguém, mas tal assemelhava-se a guiar um desmemoriado no escuro. A vila não se deixava acordar, soprando-nos, na mesma ordem de anos anteriores, com implacável ventania. "É verdade, a tua prima Marta?", perguntava-me, "Está boa, já se casou", e curvávamos outra esquina. "A avó Lúcia anda em baixo", continuava, dirigindo à paisagem nova interjeição, como se perante a vida das coisas apenas lhe viesse à cabeça a vida das pessoas que conhecíamos. Eu respondia-lhe com a desatenção de quem estivesse entregue a uma tarefa, temendo errar no caminho e deixando que, por instantes, o receio se notasse. "Viste! Já nos perdemos, aonde é que *isto* vai dar?" Talvez a Oeiras de 89 tenha sido apenas sonambulismo: o supermercado Modelo a cujas caixas as caras de sempre envelheceram; as parabólicas Contera nos telhados que eu rabiscava em todos os desenhos; as palmeiras ainda jovens do Passeio Cesário Verde e a escola primária, ao fundo, como uma casa feudal de que fôssemos a vassalagem; as urbanizações ainda em construção; a pequena igreja pintada de branco em torno da qual existe hoje uma ciclovia. Esses passeios foram na nossa vida a coisa mais próxima de fazermos o que era acertado no deserto, apesar de nos irmos cruzando com vizinhos pelo caminho.

Era então normal começarmos as refeições com atraso. Esperava, espero ainda, que ela termine a oração, pedindo em várias línguas extintas pelo nosso perdão, o fim do ébola, a fertilidade de uma vizinha ou a chegada de um telefonema aguardado, estejamos em casa ou numa esplanada, em Luanda, Lisboa ou onde seja. Agradecido o guisado, comemos ignorando a gordura acumulada à superfície, uma boa imagem do que é a nossa condição de suplicantes, e do meu estado de espírito enquanto espero que termine, entreabrindo os olhos apenas para tentar medir o tempo. Os seus olhos cerrados são, porém, um relógio avariado.

A forma da oração nunca a deteve, como acontece aos que não sabem rezar. Era, antes, o terreno para um improviso pródigo, em que não se importava com a questão vã de termos de nos coibir de nós mesmos quando rogamos a Deus. Eu questionava-me, no entanto, porque não respondera Jesus que improvisassem quando Lhe perguntaram como se rezava, pensamento que não acalmava em mim a impressão de o pai-nosso, uma oração para analfabetos, saber realmente a pouco, ao lado da loquacidade a que a minha mãe sempre me habituou. Tinha por ela em pequena, nesses momentos, a forma de embaraço original que apenas sentimos pelos nossos pais e de que os pais estão escusados em relação aos filhos. Não sentia o embaraço enquanto falha minha, embora ela me tratasse a mim por *Mãe* e me pedisse conselhos tivesse eu oito, nove ou dez anos. Hoje oiço-a orar maravilhada e sinto-me grata por perceber nela o dom de alguns solitários de descansarem de si mesmos, a que nunca me consegui entregar. É ela quem está ausente das suas súplicas, entregue ao que vai dizendo num contínuo feriado do sentido, como se a oração orasse nela.

Pouco vivemos juntas. Víamo-nos quando vinha a Portugal, ou então ia eu a Luanda para uns quinze dias vividos entre a alegria e a timidez. Se estivéssemos em Lisboa, passeávamos o seu sonambulismo por Oeiras ou, apanhando o comboio, subíamos a rua da Prata, parando a meio para um croissant, e íamos até ao Parque Eduardo VII onde uma cigana nos lia a sina. Se estivéssemos em Luanda, eu passava as tardes à janela da varanda, exibindo o penteado sempre renovado; ou ia ao pão à esquina, recado cumprido a correr, temendo que dessem por mim, e tentando mudar de sotaque quando falava com as quitandeiras. Éramos duas estranhas, embora ela me secasse quando eu saía do banho e me vestisse, me ensinasse a pôr loção no corpo comentando o aspecto do meu púbis e apesar de uma de nós ter sobre a outra responsabilidade. A minha mãe via-nos a ambas através da lente da providência em relação à qual somos imagens ínfimas, e eu fazia ínfimas as minhas saudades, chamada pelas obrigações do quotidiano que as férias não interrompiam, com as suas idas para o serviço, os banhos tomados com um púcaro no intervalo das faltas de água, a recolha do lixo feita por uma mão-cheia de miúdos de rua que ela incansavelmente alimentava.

A maravilha estava então em ela mostrar-me que tal responsabilidade era uma circunstância transitória; que estávamos ambas sob o amparo de uma guarda superior, de que eu apenas podia entrever a sombra fugidia no corredor do apartamento que temia atravessar sozinha nesses verões em Luanda. Embora a estranheza destes hábitos, a que nos entregávamos como se o fossem realmente, equivalesse a fazerem-no duas desconhecidas que partilhassem uma casa arrendada, a minha mãe fazia-me sentir sermos inquilinas de uma morada hospitaleira. O senhorio olharia por nós, olharia por mim, ainda que não me fizesse sentir em casa. A questão não era por isso a de não sermos dignas de que ele entrasse na nossa morada, mas a de aprendermos através da sua insistência em habitar-nos que o visitante éramos nós mesmas. O senhorio mostrava-nos que não nos pertencíamos, revelando o drama de qualquer arrendatário e pondo a nu a cerimónia de todas as visitas. Apesar de sentir como meus sobressaltos e alegrias, a minha alma era uma disposição cedida num contrato. Esta cerimónia para com o seu abrigo, percebo-o hoje, é tanta vez a via mais curta de o inquilino se esquecer de si mesmo, a posição ingrata e abençoada que eu pressentia no autoesquecimento da minha mãe nas orações.

Este estranhamento à própria morada, um estranhamento essencial ao nosso lugar nesta terra, seria todavia a condição de possibilidade do crescimento da minha mente, que então se expandia contra a minha mãe, como se ganhasse espaço contra um esqueleto opressor, por ela ser a maneira de Deus aparecer na minha vida. A morada que me ensinava a estranhar era eu mesma, embora parecesse a quem nos visse que não estávamos ligadas por mera contingência. Deus era o estranho que nos ensinava a estranharmo-nos, levantando com ironia o véu coçado que era a minha vaga noção de propriedade e mostrando-me quão precário era que dissesse "mim" de mim mesma. O nosso encontro foi propício a que eu desse um pulo, como me dizia o meu pai ao ir buscar-me ao Aeroporto da Portela, no fim das férias em Luanda. Um pulo quanto ao lugar da minha cabeça, e não no número do calçado, eis o que devo à minha mãe.

Dar um pulo não foi, todavia, um modo de me aproximar de mim, mas uma forma de ver a minha cabeça afastar-se, como me fugiria dos dedos um papagaio de papel e como se a participação de Deus na minha vida se prolongasse no modo como aprenderia a fazer cerimónia com o que penso. Os nossos verões seriam a ocasião de uma decapitação: a cabeça fugia-me para crescer longe da minha vista, e com ela o cabelo. A distância que me separou da minha mãe era o único indício perceptível de a minha cabeça ter sido jogada para longe. Era disso que ela me falava ao telefone nos anos decapitados em que pouco nos vimos, ao perguntar-me pelo cabelo, como se de uma forma indireta me fosse dado a ouvir nessas perguntas que ela sondava se eu já me encontrara. Os nossos anos decapitados são os nossos anos mais felizes, mesmo que a ideia de sermos meros arrendatários de nós mesmos, a filosofia de vida e a reserva de ânimo da minha mãe nos dê vontade de sorrir. Ela percorreria sozinha, ao longo dos anos, o caminho de retorno ao seu próprio quarto, regressada à solidão do louvor individual. Percebi então que os filhos são apenas um aspecto das suas mães, um aspecto cuja importância o tempo por vezes ilumina.

Em criança, num canto do meu quarto no apartamento da avó Lúcia e do avô Manuel, eu acumulava sacos de plástico que enchia de brinquedos e desenhos para que gostaria de chamar-lhe a atenção quando nos encontrássemos, a bagagem de uma viagem que viéssemos a fazer juntas e da qual eu esperava não haver retorno. O mais precioso na coleção era a forma como subtraía esses objetos ao uso diário, guardando-os para ela, guardando-me para ela: se alguma futilidade me atraísse, ia para o saco de plástico, e não para o cesto dos brinquedos.

Tinha as malas feitas, embora fosse feliz, estado que duraria muitos anos. A vida dos objetos da coleção — cabeças de bonecas, uma esferográfica Bic, um ioiô partido — era uma vida paralela, e não a vida de Oeiras. Eu não levava comigo os sacos do canto do quarto para as férias de Luanda, embora lhe falasse deles, dizendo-lhe ter "tudo pronto". Ao longo do resto do ano letivo, a minha mãe era o fantasma dos pequenos-almoços, seduzida que eu era pela avó Lúcia a acabar o leite já frio sob a promessa de que ela me telefonaria. Punha-me então à janela de copo na mão, comentando o estado do tempo como se alguém me ouvisse e, aproximando o copo da boca, vertia o leite janela abaixo, sujando o pijama de chocolate e exclamando pouco depois "já bebi!". O que eu planeava nos sacos de plástico do canto do meu quarto no apartamento de Oeiras, em que ao fim de uns minutos qualquer objeto interessante se tornava apenas lixo, era o futuro de um sem-abrigo, e não uma vida em família.

7

A infância reservou-me uma série de Carnavais étnicos. Vejo-me em 88 de bandolete emplumada e colete castanho de franjas, mascarada de índia, graças não a qualquer escolha ou inclinação da pequena Mila, mas à circunstância (que diz muito sobre tanto na vida) de ser a única máscara disponível. Em 89 o meu cabelo vai esquecido sob um lenço de minhota e eu levo brincos de filigrana; partiram-me um ovo podre na cabeça, protegida do cheiro pelo lenço. Em 1990 apareço de cigana e, no ano seguinte, devo ter decidido por mim mesma mascarar-me de vampiro. Em 92, incarnei um premonitório espantalho, aproveitando a cabeleira crespa como a palha natural na qual assentou um chapelinho, também de palha, para pássaros pousarem, desproporcionado em relação ao cabelo — e para quê continuar? Aí terminou para sempre o Carnaval na minha vida, feriado que me entristece. Que sozinho tem estado o meu cabelo todos estes anos!

Desse período de desenraizamento e incúria sobrevive a memória de penteados decisivos, antepondo-se a todos o que era o esquecimento do penteado, aliás o esquecimento, deliberado ou infantil, de que tinha cabelo sequer, mal talvez de família, e não um mal próprio, não uma falha. Compreendo-o hoje, de passagem pelos apartamentos de parentes em Oeiras, pelos cabelos pintados ou grisalhos de tias paternas, faiança delicada com arranjos de Natal em plena primavera. Reencontro os objetos da minha infância: os mesmos quadros pendurados nos mesmos sítios acidentais. Ninguém os endireitou estes anos todos, ou assim parece. Estas casas são uma imagem do meu cabelo, ainda que visitá-las seja uma ida às Galápagos da natureza humana, tal a diversidade de temperamentos: a austeridade de uns e o laissez-faire de outros inflamando-se mutuamente, o talento culinário e a perfeita aversão à cozinha, a arte do sono noutros espertina, o gosto partilhado por animais de companhia. Não são os dias do meu cabelo, mas a oscilação do meu modo de o cuidar, ora zelosa, ora displicente, contraditória, o que as casas da minha família me mostram, com os seus donos, os seus cães, os seus gatos.

Em 2011, com indisfarçável desgosto, cortei o cabelo para me esquecer dele ainda mais. É claro que expliquei a mim mesma o esquecimento como simples sentido prático: lavar e andar etc. Não posso é esquecer-me deste cabelo sem me esquecer também de mim e seguir à minha frente deixando-me para trás como duas pessoas que se perdem numa feira, admiti para comigo mais tarde. Na sequência desse último corte começaria a vontade de saber a sua história. O motivo principal foi-se revelando aos poucos, ao perceber, sem saber explicá-lo, que o sítio onde nasci e de que cresci afastada me voltava agora como um lugar de interesse oblíquo, mas constante. Ao mesmo tempo que Luanda me visitava, dei por mim de regresso a Oeiras, numa nova mudança de bairro: eis-me de novo nas ruas nas quais a avó Lúcia passeava a sua *mise* de mão dada comigo, por onde íamos à missa ao domingo ou caminhar depois do jantar no verão, no tempo em que toda a gente o fazia.

Tinha o cabelo curto e via-me em casa no dia em que acordei com saudades de mim, mas saudades do que nunca fora, de duas ou três ruas de Luanda, de um estereótipo: saudades, meu Deus, de uma caricatura da pessoa que eu poderia ter sido, um exotismo. Acerca dessa Mila que não existe, a pessoa que vim a tornar-me tem uma imaginação vedada por uma ignorância exasperante a respeito de África. De onde estou, essas saudades não poderiam ser colmatadas com nenhum regresso. Aonde iria eu? Procurar-me onde? Não foi apenas a circunstância desta mudança de casa o que, reaproximando-me dos subúrbios da minha infância portuguesa, me trouxe, ironicamente, saudades de Angola. Foi também ter percebido, por exaustão de evidência, que não sou igual às principais pessoas da minha vida, que algo de fundamental nos separa, muito para lá do aspecto dos nossos cabelos. Por difícil que seja admiti-lo, o desejável ambiente de igualdade no qual tive a felicidade de ser educada em Portugal afastou-me de alguma coisa importante de que procuro recordar-me: de uma noção clara das diferenças que me separam das pessoas entre as quais me aconteceu crescer, que foram, aliás, quem me ensinou a perceber a importância das diferenças de que sinto falta.

Este livro é escrito num pretérito imperfeito de cortesia. A cortesia é a virtude devida ao que não se pode dizer, como se apenas me restasse fazer cerimónia com o que me é familiar. Este é o fantasma formal que me persegue: o receio de que o melhor meio seja expor os meios. Como o espantalho da máscara de 92, expor os meios é uma forma de espantar respostas. Então o que o espantalho afugenta é a realidade e as suas personagens, os recursos da biografia e a sua poética espinhosa. "Quem é a Mila?" "Eu mesma" não coincide bem comigo. O cabelo corta-se e renova-se prolongando a sucessão dos ciclos, mas tal não é senão uma via de extinção. Cada ciclo do cabelo é somente um ciclo do livro do cabelo. Serei eu ("eu mesma"?) que empresto à sua história importância, contando-a? Pergunto-me como escrever com distância se mexo na memória, mas a distância, apercebo-me então, é condição da memória, não uma ética. Todo o passado é um satélite conveniente.

Durante muito tempo pensei que, de acordo com uma noção apropriada de seriedade, seria fraudulento dar a conhecer a

Mila. Pensava então que ela seria percebida como uma negra de papel. Apercebo-me agora, porém, de que apenas para mim quem não fui é uma caricatura. Estar em minoria não consiste apenas em tomar de empréstimo a iconografia da nossa intimidade; consiste em apagar o que pode existir de singular não na vida que vivemos, mas na que não vivemos. A história desse empréstimo parece ter pouco de coletivo. Assemelha-se antes a uma inaptidão pessoal para nos lembrarmos melhor de quem não chegámos a ser. A memória é um demagogo: não nos deixa escolher o que vemos; alimenta-se da tentação de fazermos menos do que *não* fomos. Admito que esqueci, apaguei, dissipei os invisíveis. Arquivei os salões e as donas dos salões. A ata do meu esquecimento é distintamente portuguesa. Estão lá os arredores na falta de detalhe da juvenília, pombos, uma inválida e os pobres, roupa branca ao vento, loucas à janela e um homem-elefante. Como lembrar-me de quem não fui como de uma pessoa?

"Falas ainda sobre cabelo, Mila?" Determinada a encontrar o que sou como uma surpresa a meio do caminho, uma revelação imprevista, vejo-me subitamente enredada na minha particularidade. Julguei que me extinguiria nos outros, perdendo-me para a obscuridade de que tencionava resgatá-los, mas resta-me agora uma névoa retrospectiva de mim mesma, a minha própria ideia do meu cabelo. A única noção admissível de seriedade parece-me agora a de honrar não quem tenho sido, mas quem julgo não ter chegado a ser. A negra de papel é quem me merece hoje deferência. De que modo *merecê-la*? Não sei pentear-me por escrito sem perder um pouco a mão ao livro.

8

Encontro num livro imagens de ruínas. Folheio a sequência. Percebo-a como um álbum de família. Castelos, torres aéreas, prisões, aquedutos, piscinas ao abandono: *nós* nos nossos álbuns de infância. Comum entre as imagens não é o modo como refletem uma tradição coletiva de incúria, mas a forma como os monumentos sobreviventes se dão a ver enquanto pares vivos num percurso familiar. Assim estou para quantos passaram: não cabe na mesma cidade mais do que um parque aquático arruinado. Numa imagem, a uma planície preside hoje a ruína de um castelo. Um escorrega desagua no que foi uma piscina popular, vê-se noutra. Pudéssemos nós encontrar um novo uso para o equipamento do passado, fazer de uma bengala comida pelo caruncho uma flauta ou um corrimão barroco; reencontrar tradições reconhecíveis no efeito do tempo e da natureza; confundir o descuido com o desígnio de uma arte.

Tal é o conteúdo inteiro de quanto resta do que passou. Não são os lugares que habitámos que encontro hoje ao abandono o que assume a condição de ruínas. Somos nós que, ainda que não tenhamos sido abandonados, sobrevivemos como o único castelo num raio de quilómetros: um sinal de que ali houve vida sobre o que é hoje erva seca, oliveiras e sobreiros. As minhas fotografias de infância deterioradas sobreviveram sob a cura de nenhum documentalista, atiradas para uma caixa velha, perdendo a cor, colando-se umas às outras. Não nos podemos eximir de nos reencontrarmos como o produto das marcas que a nossa incúria deixou nos nossos arquivos, exatamente como se nos apercebêssemos de que o propósito da cura, do zelo do restaurador, fosse não o de zelar pela matéria do registo, mas por aquilo que nos chega de quanto registámos. Como se a cura pudesse curar as personagens registadas, e não o suporte através do qual sobreviveram. Não nos podemos eximir de que a nossa infância tenha mudado de cor, e seja agora não de um sépia intencionado pelo fotógrafo, mas do sépia deste nosso esquecimento.

Vejo-nos nas fotografias como um templo ou uma ponte romana; uma torre mourisca; catacumbas; um Ford dos anos 10; uma das primeiras avionetas. Isto não quer dizer apenas que coincidimos com o que permaneceu, mas que a vida do passado como a reencontramos corresponde à monumentalização do que vivemos enquanto matéria esquecível. O que não era digno de ser lembrado tornámo-lo nós monumento, como se deixar cair no chão um gelado, apanhar o cabelo num rabo de cavalo para uma fotografia tipo-passe ou desmontar uma bicicleta fosse agora a nossa Alcácer-Quibir, o nosso cerco de Lisboa, a nossa travessia transatlântica, o nosso Tarrafal, mesmo que cercos, travessias, cárceres e batalhas que nunca previmos venham a fazer história. "Estamos a fazer história", ouço-nos dizer, e penso que o espírito deste dito está nos antípodas de tudo o que podemos saber enquanto vivemos.

Vi pela primeira vez já em adulta um filme mudo dos meus avós paternos em Moçambique com os seus filhos, em crianças, entrando e saindo de um Peugeot como pintos atrás de uma galinha. Saltavam para dentro de uma piscina de borracha e depois para dentro de uma piscina a sério em que não se vê negro nenhum. Saudavam num aeródromo a chegada de um general recebido com bandeirinhas por indígenas em trajes típicos; liam o jornal à sombra do mamoeiro do jardim. Era em 1967. A transposição do filme para DVD acelerou-lhe a velocidade. As imagens sucedem-se com cortes: Beira, Veneza, Lourenço Marques, Fafe. Apesar das feições judaicas da maioria das crianças, a minha família gravada ostenta perante a vida a disposição musical de uns Von Trapp, como uma geração de cantores perenemente à beira de escapar a uma perseguição. A filmografia dos nossos Natais finisseculares portugueses intromete-se em quanto fomos, como se não pudéssemos sobreviver livremente ao que tomámos por lazer. O filme que víamos em 90 retratava o que fôramos em 60 mostrando-nos em 40. Fomo-nos sisudos, ressurgimos musicais: a recompensa da oficina de um artista — a distância e os seus caprichos — tornando-nos autómatos, desalmando-nos.

A musicalidade da minha família nos filmes mudos é um produto da deterioração técnica dos filmes. Uma vez mais, é como se a necessidade da contingência permitisse revelar o que as coisas tinham de único, apesar de o que resulta ser uma representação parcial do que foram certos instantes das suas vidas. A deterioração suprime toda a angústia, embora nos lamentemos de nos vermos reduzidos a coisas. *Estamos mortos*, penso ao ver-nos, como pensaria se me acontecesse reencontrar num filme um ator defunto.

É então que renascemos como a epifania de um artista que encontrasse na deterioração do seu meio, e apesar do alto custo de qualquer epifania, um propósito, uma nova possibilidade de beleza, como se o cenário da nossa vida fosse a matéria ainda que insignificante do esforço de alguém; como se o mamoeiro de 67 fosse uma de muitas arvorezinhas numa maqueta, arrumada pela necessidade e pela inspiração por um arquiteto meticuloso; como se o rótulo da garrafa de Trinaranjus daquele passeio por Cascais no final de 80 fosse o capricho de um pintor exibicionista; como se o turquesa do fundo da piscina no filme mudo dos meus avós fosse o resultado da precisão de um restaurador de película; e o alento musical dos Von Trapp fosse um princípio de melodia que um músico resgatasse do ruído que faz uma gravação antiga.

O que reencontro como caricatura de Moçambique não passa da forma como a deterioração técnica reconfigura o que se passou, dando a impressão de termos sido decididos, refletidos por outros, tal um montinho de folhas secas cujo desmoronamento nos impressionasse como uma decisão das próprias folhas: como uma sombra chinesa de quanto fomos.

O afã das personagens nos filmes saudosos de Moçambique; o colorido dos habitantes e o desenho dos seus modelos de verão; o movimento dos carros e a resignação de ardinas e motoristas e, mais do que tudo, toda a sua música forjada, a saudade que passa hoje não por quanto houve, mas pelo que lembramos, tudo é um produto da deterioração de um material, que não marca apenas singulares famílias anónimas e álbuns privados, mas se intromete em todos os suportes, todas as gravações, todos os registos. Castelos, torres aéreas, prisões, aquedutos, piscinas ao abandono: *nós* nos nossos álbuns de infância. Seremos os mesmos? Nós que não nos lembramos de ter andado tão depressa, de ter sorrido tão levianamente, de ter mergulhado de tão alto, de nos termos penteado com tanta entrega; que ressurgimos doentes, maldispostos, alegres, cansados, derrotados, sem nos lembrarmos de alguma vez termos retornado ou sido vencidos, entre o que somos e *isto*, o que se deteriorou interrompeu-nos como um lençol de ruído no qual conseguíssemos encontrar ainda um raio de virtude, uma versão estimável de quanto fomos: um monumento. Que desadequado é dizermos que fazíamos história quando o que conseguíamos ouvir de cada momento era apenas a fúria da entrega da sombra chinesa de um ator.

Nunca mais envergonhar-se de si mesmo, leio num livro. A frase regressa enquanto revejo os filmes, como se estes reproduzissem a vida de uma única pessoa, e sem que seja claro porque é esta a legenda apropriada ao corrupio de todos estes atores. Para nunca mais nos envergonharmos de nós mesmos é preciso que estejamos a caminho de nos tornarmos alguma coisa. A dado momento podemos aperceber-nos da possibilidade de perseguirmos certos desígnios, como se antes não soubéssemos ser possível que certa coisa pudesse servir-nos como aspiração. Reconhecemos então para nós um objetivo, com a surpresa com que encontraríamos beleza na deterioração. Vocações surpreendem-nos frequentemente como epifanias. A companhia dos outros serve para emoldurá-las. Ocorre-me o que seria se a vida fosse uma busca da verdade. Se perante o que sobrou somos, quando muito, a beleza que se encontra no lixo enquanto este se decompõe, tal parece fazer de qualquer memória não o sonho do documentalista, mas o pesadelo da sua absoluta dispensabilidade. Procurar a verdade parece tão inglório quanto tentar abater a sombra chinesa de uma águia. Como nos sonhos, perante as suas epifanias, o documentalista descobre-se no rosto dos documentos, como quando sabemos que ainda somos nós, apesar das longas barbas, dos canudos colegiais com que, aparecendo a nós mesmos nos sonhos, metemos conversa com a pessoa que somos. Quando nenhum de nós se lembrava de ter cabelo, Moçambique era suado, lascivo, mandrião.

9

Uma das poucas fotografias em que surjo penteada foi tirada por um Will Counts em setembro de 1957. Esta história do cabelo é a sua legenda e salvamento. É talvez estranho que, sendo um autorretrato meu, tenha sido capturado por outra pessoa, à entrada do Liceu Central de Little Rock, no Arkansas, muito antes de eu ter nascido, e que se tenha tornado um símbolo da luta pelos direitos civis nos Estados Unidos da América. Ainda mais estranha e difícil de explicar é a circunstância de eu ser todas as pessoas do retrato ao mesmo tempo.

Não que esta fotografia simbolize algum episódio particular da minha vida. É antes uma radiografia da minha alma. A minha alma é a figura enganadoramente impassível de Elizabeth Eckford em primeiro plano e o ódio implacável da multidão à sua passagem no plano de trás. O meu pavor concentra-se todo na contração dos músculos da mão e do antebraço, segurando o meu caderno contra o tronco, receando deixá-lo cair e ser engolida por todas aquelas raparigas. Toda a violência do retrato converge nos meus dentes cerrados acossando uma desconhecida. Sou os curiosos penteados a preceito que vão atrás para se divertirem um pouco. É o retrato de uma autoperseguição e da tentativa diária de lhe ser indiferente.

A fotografia de Little Rock faz-me pensar numa Mónica do meu nono ano, que tinha a cara marcada por uma varicela tardia e declarava preferir abortar a ter um filho preto; ou na Sofia do Central, onde aprendi a gostar de café — a mal-encarada do turno da tarde que passava a bocejar atrás do balcão e que, atendendo todos os outros clientes com uma expressão de enjoo, me reservava um asco segregacionista ao trazer-me a conta. É misterioso que não as reconheça de caras nas raparigas brancas do retrato. Não as reconheço porque as raparigas brancas do retrato são nada menos do que eu em miniatura, *little rock*, mulata das pedras. Vejo que sou a fuga e a perseguição, desfigurada, desfigurando-me.

Esta imagem captura o supremacista em mim, o espírito agressor que me estraga os dias, por muito que nada ou ninguém me agrida ou tenha agredido de fora; o supremacista implícito na timidez reticente e magoada de tantos cabelos crespos com que me cruzo por Lisboa, bem mais justificada do que a minha, porque, vendo bem, todas as formas da timidez foram em mim sempre um privilégio natural, e não uma reação às circunstâncias. Esse supremacista é a ideia, nesses meus irmãos, de a sua timidez (que ninguém percebe) ser um estorvo de que devem expurgar-se, tentando encontrar no convívio com o mundo a mistura exata de desdém, mansidão e expansividade.

Ele sussurra-nos que desviemos o olhar dos senhores polícias, que reclamemos pouco na estrada, que não ocupemos lugares reservados em autocarros vazios, que desimpeçamos o caminho, que em assuntos importantes mudemos de sotaque ao telefone, que desapareçamos dos corredores de que realmente desaparecemos, entre pedidos de desculpa e muitos silêncios, deixando o piso escorregadio como vestígio, que esqueçamos a História do Cabelo, embora não haja barulho algum cá fora — *nada de nada*.

Parecendo relacionar a minha caminhada pacífica com a de Elizabeth, esse supremacista não cabe em nenhuma das definições conhecidas, embora subsista mesmo quando nada brame. Estava bem vivo no meu avô Castro, através do qual vociferava contra a "pretalhada" do autocarro. Está bem vivo na primeira reação de todas as cabeleireiras à textura do meu cabelo, negras ou brancas. É não um pretexto de definição, mas um narrador impune. Oiço-o distintamente. Ele é o itálico nas conversas no café da esquina que me sobressalta como se falassem de mim. "Tive de deitar fora a minha saia *preta*: estragou-se na máquina"; "olha o fumo *preto* que aquela mota vai a deitar", dizem as velhas por entre a barulheira de pires, chávenas, garfos, facas, moedas. Olho por cima do ombro à procura de indícios; a conversa continua; vejo que não é comigo. As raparigas iradas da fotografia são o temor nervoso (de que me envergonho) se no comboio um negro atende o telefone, falando alto. "Chiu: fala baixo", dizem-me, digo-lhe, digo a mim mesma, "cuidado com as pessoas." Acossam-me ao espelho quando me arranjo para sair, fazendo-me crer étnico, e por isso vulgar, um par de argolas douradas que acabo sempre por não usar. Trazem-me abnegadamente preparada para o insulto de cada vez que saio à rua, embora na rua apenas ladrem cães à chuva. Mobilizo-me assim todos os dias para o que quase nunca passa de uma turba de nuvens, zombaria infame da história das raças, revelando quixotescos os meus pavores genuínos. As raparigas iradas são a causa silenciosa da discrição da menina "muito clássica" que me tornei. Os seus itálicos fizeram-se natureza: cabelo esticado.

10

Acordei do esquecimento do meu cabelo com o desenho de um pretendente, aos catorze anos, no qual aparecia nua e curvada sobre mim mesma, de tranças desmanchadas sobre as costas. Obra de uma senegalesa em Algés, essas tranças ocuparam outro dia inteiro, de que recordo o alguidar de água a ferver em que, terminadas, as submergi para encaracolar as pontas das extensões. O meu pretendente imaginava-me nua, de cabelo solto, o que me afugentou. Quando me deu o desenho, corri para casa e, ao longo de muito tempo, evitei-o com curiosidade. Um dia procurei saber do seu paradeiro. Tornou-se comercial, homem de família, o que nada fizera antever.

Renasci para o novo cabelo postiço, que nunca tivera tão comprido, com uma naturalidade que, à distância, me deixa perplexa. Tinha em mim todo o saber de um cabelo longo, um jeito para o pôr atrás das orelhas que sobreviveu até aos cortes esporádicos, um movimento natural dos ombros que depressa se tornaria um tique, a mania de enrolar as pontas com os dedos. Esta coleção dos meus gestos latentes, preparada para o que nunca tivera, foi em mim o exato contrário do que seria a continuação da vida de um membro amputado: a pré-história de um órgão inexistente para a qual nos preparámos todo o tempo sem saber a falta que nos fazia. À semelhança do cabelo postiço, comprido numa questão de minutos, dei um pulo.

É na história por escrever do aluguer de castelos e estaleiros a organizadores de eventos que, como um apontamento irrisório, se inscreve, a meio da década de 90, a circunstância de ter ganho orgulho nas minhas tranças, que abanava enquanto dançava, muitas vezes a única pessoa relativamente sóbria entre centenas de pessoas drogadas; advertida para o mal da droga por uma terapia de choque ministrada em mim, na puberdade, ao sabor do espírito da época: mancos que saíam do comboio em Campolide a andar perfeitamente; uma campanha contra a toxicodependência que conduzira aos onze anos na escola preparatória e um sentido de responsabilidade que não passou de cobardia providencial. Acordávamos às cinco da manhã para as festas com que culminava a noite dos outros, apanhávamos o "night train" e seguíamos para o Clímax do Jardim Constantino, eu e uma amiga com quem fantasiava tornar-me groupie de um bando de desocupados que frequentavam raves e *after-hours* e se reuniam à porta de um salão de jogos das redondezas. Ninguém conta esta história porque não havia observadores não participantes. Dos que participavam, não sobrou ninguém.

 É uma etnografia suja, a desse tempo. Nas raves, no escuro, observadores descobriam-se nativos, nativos observadores. Repetia a mim mesma estar ali pela música, tentando não perder o rasto ao desconhecido de cartola: um excêntrico que circulava pelos pavilhões, o amparo obsoleto de uma bengala talvez do Cacém. Estaria à procura de alguém, aquele mestre de cerimónias, indiferente a qualquer loop: um cangalheiro de visita? Seguir o cangalheiro com o olhar era já ser presa, embora eu jurasse conhecê-lo de algum lado. Noutro plano, à minha frente, um pescoço transpirava, afligindo-me. *Bebe água, tolo*, pensava eu, sua madrinha aflita; atrás, num pátio ao ar livre, regateava-se ecstasy em surdina no cavalheirismo próprio do mercado negro. Ao meu lado, alguém me deitava a língua de fora. Sob o ruído, entregues ao silêncio, uma ginástica do estilo por ser preciso concentrarmo-nos para nos deixarmos ir, estávamos sozinhos. Ir a uma rave apenas aparentemente era um trabalho de grupo. Despedia-me dos amigos à entrada e encontrava no ruído uma cela minha, coordenando o coração com o ritmo. Com o mistério dos outros corações não se exercitava a alegria, mas o empecilho da solidão quando fazemos por perder mão em nós. Perdermo-nos é todavia um destino nobre, e não um efeito. Ninguém olhava pelo coração do cangalheiro perdido na sua ronda fúnebre, para a qual não conseguiria dar razões. O cangalheiro ubíquo foi quem não me deixou descansar: um fio de vigília de que nunca me arredei.

Muito do que conheço do interior de Portugal conheci-o nesses anos em que percorri com amigos o Ribatejo, o Norte, e fomos sozinhos até ao Algarve, em 97, para o Festival Neptunus, com o dinheiro ganho a colar códigos de barras num armazém em Sintra, vigiados por uma ruiva autoritária. Ao almoço, comíamos com um grupo de senhoras que ali estava há vinte e sete anos e uns trigémeos sisudos de cabelo apanhado. Na viagem para Albufeira, nesse ano do armazém, numa carruagem de soldados desafiados a experimentar *poppers* pelos *ravers*, disseram-me repetidamente ao ouvido que tinha um cabelo "muita louco". O cabelo já não era "esse cabelo". Beijavam-se rapazes desconhecidos e não se passava a conhecê-los melhor por essa razão, nem se queria conhecê-los melhor. Dizia-se que já se tinha dezasseis anos e tinha-se em conta que a partir das duas horas da manhã deixava de haver água nas torneiras das discotecas.

Em casa da Cátia, onde nos preparávamos para as festas, e que vestia na escola as mesmas roupas que vestia à noite, eu ajudava a fritar rissóis para o almoço. Era uma família de auxiliares de ação médica, camionistas, gravidezes precoces e insucesso escolar. Numa tarde em que a vi sair do banho, ela enxugou-se à minha frente, limpando o sexo com a toalha e olhando fixamente para o sangue que lá ficara. Onde se teria perdido a idade de Oeiras, o gineceu decoroso? Foi a Cátia que me levou ao Bairro de Santa Filomena pela primeira vez. Procurávamos um parente seu que vivia numa casa abandonada e por quem gritámos à porta, dizendo "Ó da casa". Gritámos para a ruína, uma vivenda embargada no cimo de um morro, esperando que alguém aparecesse. Vínhamos reclamar uma pensão de alimentos. Vejo-nos hoje gritando do alto, os insultos da Cátia contra o mutismo da ruína, numa cólera remota.

Os amigos desse tempo: um ruço de rasta que traficava droga; um negro de rasta que vivia debaixo da linha de comboio em Rio de Mouro, onde fui um dia recebida pela sua avó, e que me queria desposar; o rapaz do desenho, mais velho dez anos, de quem se dizia que tomara na mesma noite oito pastilhas de ecstasy; as duas irmãs malparecidas que viam lagartos saírem-lhes dos braços nos sofás do Clímax; o rapaz de Camarate que afirmava ter sido o primeiro lisboeta a usar calças axadrezadas; o amigo deste, que se disfarçava de forcado para ir às festas; os que, sem saberem uma palavra de inglês, partiram para Londres e foram barrados à porta do Ministry of Sound; os que olhavam para o chão nos intervalos engolidos pela etiqueta do seu tráfico, da qual eram o recibo amarrotado — nunca mais me cruzei com fosse quem fosse em metro algum, em nenhum autocarro, nenhum café. Mudei de país, ou eles mudaram-se, embora a escassos quilómetros de distância. Em tempos, fui chamada pelo nome por alguém no supermercado. Era um deles, a quem apresentei o meu marido. Arrumava garrafas numa prateleira. Estas foram as primeiras pessoas que me gabaram o penteado.

Num dos três verões que durou a nossa amizade, passei uma tarde com a Cátia e o namorado na Praia de Carcavelos. À volta da cintura, eu usava uma corrente à prova de água. A praia era apenas a estação de comboios, na qual nos encontrávamos seminus, mas sempre os mesmos. Eu sacudia as tranças à beira-mar e fazia de pau de cabeleira. A Cátia temia que o namorado se levantasse da toalha e cobria-o com o próprio corpo. Disse-me ao ouvido que ele tinha "o pau feito", expressão que eu nunca ouvira. Os rapazes e as raparigas da estação arrastavam-se junto ao mar, mirando os rabos e os troncos uns dos outros, e lançavam-se para a água em saltos mortais arriscados, dando um balanço de vários passos e incomodando as pessoas. Atiravam calhaus sem atenção às crianças para que os cães os apanhassem, fumavam haxixe à sombra enquanto líamos a *Ragazza*, empurravam-se uns aos outros em aparentes zaragatas, adormeciam ao sol, comiam um Magnum, palmavam uns óculos escuros, perguntavam-nos o nome, queriam conhecer-nos e, no fim, seguiam no autocarro, na inofensividade de quem é transportado, óculos sobre os bonés, exibindo na pele negra as marcas de sal que o mar lhes deixara nos braços, nas pernas, no pescoço, e se assemelhavam a uma doença dermatológica, lixo de livros em que nunca entrarão.

Numa manhã, a caminho de um *after-hours* na Ericeira, no Saturday's, apanhámos boleia de um camponês que seguia de carroça. Penso hoje em nós, sentadas nos fardos de palha, exuberantemente maquilhadas, alheadas da beleza do caminho, do trote da égua, de ouvidos postos numa faixa intitulada "Mannikohmium", no barulho. Foi a única vez que andei de carroça. No ano seguinte, em 98, saí de uma festa a meio perguntando-me como se conseguia suportar aquela música. Tinha parecido uma década, mas foram três anos da minha vida.

Não é preciso sabermos para onde seguimos e podemos até sentir-nos perdidos ou julgar-nos essencialmente errados nalgum ponto essencial. A ambição, um combustível pujante, que não acompanha necessariamente o talento e pode até incentivar a mediocridade, conduz alguns de nós com uma fidelidade persistente. A mim acompanhou-me em todos os percalços como uma reserva de individualidade que não podia ser manchada. Surpreende-me hoje, contudo, quando penso no destino dos que passaram por mim. A ambição aquecia o coração de alguns deles, e foi-lhes vã como me é porventura. Que será dos meus companheiros de 90, a tropa de ambicionados controladores de tráfego, condutores de ambulâncias do Inem, viradores de hambúrgueres em cruzeiros, caixas do Continente, meninas de companhia, hospedeiras, empregados de escritório, engenheiros biológicos, químicos, latinistas, guitarristas a solo?

Não sei porque me hei-de comprometer com a intenção de encontrar beleza no que me repele, mas cedo à pressão de o fazer por consideração mais para com a genuinidade desses projetos do que para com o encanto desses anos liceais. Essa genuinidade atingia o seu clímax na energia posta pelos meus amigos em concertos pela tarde, saídos da apatia do laboratório de biologia do liceu. Estiravam-se nus e tocavam guitarra no terraço de um apartamento, interrompidos pelas sirenes dos carros dos Bombeiros Voluntários, cujo espetáculo de ternura e paródia familiar eu acompanhava através da montra de um café. No mesmo arco de agosto, abriam as mangueiras e encharcavam-se uns aos outros, os bombeiros; punham as raparigas roliças às cavalitas e fugiam da água, o tronco nu e a barriga de cerveja entre as costelas salientes, um mundo em que todos são primos e a valentia é uma disposição familiar. No terraço, esta antifamília bebia vodka-laranja e fumava erva ao sol. Por vezes, num arranque poético, estando os pais fora da cidade, deixava-se estar acordada para ver o sol nascer do terraço. Revejo-a hoje, ouvindo falar de um homem que manteve um leão no telhado de um prédio do Bairro Azul, em Lisboa, de que ainda existem fotografias. Eu participava da ambição dos meus amigos, leões de terraço, ignorando todos a fealdade da cidade cá em baixo que, como dizíamos, seria um dia pitoresca. A adolescência foi apenas um exacerbamento do que nenhum de nós queria vir a ser, como se nos fosse permitido ser por uns anos a nossa versão piorada e esta pudesse explodir-nos nas mãos. A ambição vivida em grupo nesse tempo, que um dia nos poria no lugar, foi deslocada e fugidia. Não era ainda a doença pediátrica que me transmitiu o meu avô, embora lhe sucedesse.

Manuel convenceu-me, era eu pequena, de que me aguardava um futuro prometedor, como talvez seja aconselhável convencer todas as crianças. O que me deu nesses dias, em que recitava os meus versos infantis à família e me aconselhava Júlio Verne, adivinhando-me um destino literário, não foram meios, mas fins. Não se pode induzir em alguém uma ambição medonha senão em pequeno. O meu avô cumpria-se nas suas previsões, que receava não poder vir a testemunhar; e, por esta razão, o que me transmitiu foi a condição da sua própria perpetuação, um cheque em branco em relação ao seu próprio futuro, e não em relação ao meu, apesar de os dois não se distinguirem. A ambição foi uma dádiva recíproca, e não poderia senão sê-lo, pois não a podemos gerar em nós mesmos. Quão injustificado era que eu julgasse ter pela frente um destino luminoso, quando à minha volta se erguia o cotidiano nauseabundo de vielas sujas de Lisboa, na década de 90 ou na década de 2000, cheiro a urina, preservativos e seringas usadas, copos de plástico vazios dos quais também eu bebera. Verdadeiro é que, por absurdo que pareça, foi a ambição e não o sentido de responsabilidade que me protegeu ao longo desse caminho. Esta era a ideia do meu avô para a qual o conduziam as minhas primeiras quadras, como se a eternidade de um velho pudesse ser pressentida no modo como uma criança rima a palavra "mar" com a palavra "amedrontar". Os meus poemas infantis revelavam o futuro do meu público, e não o meu. Nunca estivemos ambos tão perto da vida após a morte como nessa fantasia do meu avô Manuel.

II

As piores cabeleireiras que conheci foram duas congolesas no Centro Comercial da Mouraria — seriam feiíssimas ou é a distância que as transfigura —, rosto despigmentado por Mekako, um sabonete antisséptico usado para clarear a pele. Trançaram-me o cabelo velozmente em quatro horas e cobraram-me uma fortuna, olhando com desprezo para o namorado branco com quem lá fui. As primeiras duas tranças cairiam horas depois, assim que as apanhei. As congolesas eram da família do homem que me insultaria na rua dizendo-me que tinha aprendido com a minha mãe a gostar de brancos — arruinando-nos Lisboa para sempre. Aprendi em pequena a dizer "Tata NZambi", "ai meu Deus" em lingala, uma interjeição repetida pela minha mãe que me ocorre nesses momentos. Foi também com ela que aprendi a amarrar lenços à cabeça, como fiz aos oito anos, de memória e sem nunca o ter experimentado, num dia em que me mascarei de africana para uma festa da escola. Levava um boneco às costas e uma camisola castanha. Que prodígio de oportunidade uma pessoa mascarar-se do que é, distanciando-se e duplicando-se. Fui eu que disse que o Carnaval acabou um dia na minha vida? Essa foi talvez a única máscara que me revelaria, expondo a distância que me separa do que sou enquanto uma ideia auspiciosa, e não irrecuperável. Não foi a história que nos separou: foi ser uma pessoa. Nunca virei a ser a senhora africana daquele dia, mas serei um dia uma senhora africana. Vêm-me à memória os momentos passageiros em que aprendi alguma coisa de importante vendo as mulheres da minha vida a vestirem-se e maquilharem-se, ou observando os seus objetos pessoais.

Gostava de fixar o meu embasbacamento, deitada na cama de barriga para baixo enquanto se arranjam ao espelho, o ar do quarto tomado pelo seu perfume para que continuo a não ter idade. Observo a perícia aliada à pressa de se despacharem e o meu enquanto silencioso, o tempo suspenso, o som da atenção. É nesses instantes, ao encontrarmos nos outros a perfeição do hábito, que nos descobrimos enquanto animais contempladores. Depois, numa aberta, quando se ausentam, disfarço-me a tarde inteira à frente do mesmo espelho, visto as suas roupas, sem nenhum observador, falando sozinha, cantarolando, lendo o consultório da *Maria*, limpando a cara pouco depois e pintando-a novamente de um modo desajeitado. O gozo está então na ação, e não no efeito. Esqueço a cara esborratada a tarde inteira, e apanham-me não porque os batons estão esmagados e fora do sítio, mas porque a tenho suja quando chegam os adultos. Tal solidão é o início de se ser um indivíduo.

Entre estas visões salienta-se a da lindíssima jovem com quem o meu pai se casaria no dia mais feliz da minha década de 90. A noiva dançou em minissaia; deixou-se fotografar bebendo um café num baldio com o desprendimento e a propriedade de uma estrela: sabia-se linda e que assim a achávamos. Ao longo de quinze anos, pertenceram-lhe os batons esmagados. Nesta teoria estética, em que a beleza e a liberdade são mutuamente dependentes, a minha mãe portuguesa, o olho por detrás de quase todas as fotografias deste álbum, teve o lugar de curadora da liberdade necessária para fazer de mim uma pessoa e, enfim, a paciência para a minha entretanto eclodida timidez em deixar-me fotografar. E pensar que o seu perfume tocado pela brisa da tarde, apanhando-me à mesa da cozinha no meio da narração de peripécias escolares para as quais ela tinha a entrega de uma amiga de sangue, é o cheiro de que estas páginas se esqueceram, como se as escrevesse num bloco perfumado guardado numa gaveta ao longo de anos. Não existe álbum sem fotógrafo e, mesmo quando não existe nem um nem outro, o que conhecemos da infância são os olhos que nos viram, nos fixaram, nos aturaram, nos amaram.

Visitar salões tem sido um modo de visitar países e aprender a distinguir feições e maneiras, renovando preconceitos. O Senegal são umas mãos hidratadas, Angola um certo desmazelo, uma graça brutal, o Zaire um desastre, Portugal uma queimadura de secador, um arranhão de escova. Lembro-me da Tina, da Guiné Conacri, uma rapariga que me trançava nas Mercês e também olhava de lado os portugueses, mas posso matizar este mapa com o anjo do outro dia, a Lena, a angolana que me salvou uma tarde. Entrei num cabeleireiro de centro comercial, a mulher dirigiu-se a mim sem que lhe pedisse nada, passando-me à frente de outras pessoas; lavou-me a cabeça com um vagar inexplicável; embebeu uma toalha em água quente por quatro vezes para me amaciar o cabelo e secou-mo, dando-me conselhos, "Na minha família também há todas as misturas", com uma altivez que é o principal motivo deste livro. Perguntei-lhe o nome. Ela perguntou-me o meu. Cortou-me as pontas, vim-me embora. Voltei lá duas vezes à procura da Lena. Surpreendi-a noutro dia no fim do turno, soberba, a arranjar o próprio cabelo e já sem tempo. Foi o principal penteado de todos, e duraria duas horas — estava a chover quando saí.

Em Portugal, a Tina começara por trançar clientes em casa, onde cheguei a visitá-la, mas conseguira investir num salão que conheci ainda nos primeiros dias (os últimos?), um espaço também exíguo onde me deu a ver um álbum de fotografias, uma compilação dos seus melhores feitos na cabeça das clientes ao longo de anos, fotografias amarelecidas, enviesadas e desfocadas, em que se viam mulheres acabadas de pentear, orgulhosas, os seus vestidos desbotados por marcas de latas de Fanta e dedadas de desfrisante. O álbum é a antítese dos meus álbuns despenteados e, ao mesmo tempo, descreve a curva do drama do meu cabelo, mostrando o primeiro dia, o melhor dia, do penteado de cada senhora. Num português mal-amanhado, perguntara-me ao telefone dias antes como queria o cabelo, e eu correra à Drogaria São Domingos, ao lado da Praça da Figueira, em Lisboa, onde uma equipa de portugueses típicos aconselham como verdadeiros especialistas senhoras e raparigas africanas dos arredores de Lisboa sobre os melhores produtos para os seus cabelos, e que dá, com graça, para uma casa de sementes e adubos e uma manteigaria onde se vende banana-pão, mandioca e bagre fumado entre queijo de Azeitão e vinho do Porto. Os senhores da São Domingos dão dicas de beleza, dizem "Menina, o seu cabelo precisa é disto, isto é uma maravilha, nem queira saber". De que modo fazer justiça a estes samaritanos, que tantas vezes me valeram e gabam o cabelo de todas as empregadas da limpeza, levam pouco e lhes chamam "minha linda", as senhoras das seis da manhã no comboio, no metro, no cacilheiro, no autocarro, que eu nunca vejo nos corredores, com o cabelo colado à cabeça preso num rabicho esquecido, mal pintado e às vezes ralo, ignorado pelo ocupante do banco de trás; de golas altas sob casacos polares, os filhos perdidos para o ensino público, para quem o inverno é um tormento de detergente e cera acrílica, pingos de urina, cabelos no lavatório; transportadas em carrinhas por outras mulheres e distribuídas por repartições públicas nas quais mudam os sacos do lixo, lavam sanitas, deitam fora indevidamente garrafas de água e remexem os papéis a que limpam o pó, lavam chávenas de café que reencontro alinhadas, respiram a sua porção de amianto, talvez se sentem à minha secretária e rabisquem o seu nome numa folha, ou teclem fugidiamente nos teclados como meninas dactilógrafas que se penteiam ao nosso espelho antes de saírem rubricando uma folha atrás da porta? Fosse eu capaz de me elevar aos senhores que tratam por "minha linda" senhoras comuns na São Domingos, um "minha linda" automático e comercial que, sabendo a pouco, talvez não oiçam. É à condição de um castiço "minha linda" de balcão que estas páginas aspiram, numa comemoração de palavras que, sendo ditas, logo são ignoradas, por quem as diz, por quem as ouve, força de expressão, perda de tempo, cortesia.

12

Numa fotografia, o meu penteado de noiva. Foi obra do Roberto, um cabeleireiro brasileiro que me acudira na recepção de um salão depois de uma rapariga de cabelo lilás me informar de que ali não se tratava de cabelos como o meu. Liguei ao Roberto, que me dera um cartão de visita, marcando uma sessão de três horas para o dia do casamento. Ele chegaria uma hora atrasado, ensonado e queixando-se do patrão, ao apartamento pombalino onde me penteou, um salão na avenida da Liberdade. Uma hora depois, percebemos ambos que o tempo não seria suficiente. Vejo o penteado assimétrico, mais volumoso à esquerda do que à direita, pedira-o clássico desta vez. Que falta me fez a dona Mena fazendo do cabelo um acontecimento naquele dia. À noite, a muitos quilómetros de distância, desmanchei com ajuda o penteado já irreconhecível, reencontrando o meu cabelo comprido. Melhor teria sido entregar-me ao álbum da Tina e atrever-me a pintá-lo de loiro, um penteado com a duração de um mês, uma lua de mel penteada. Mas que sei eu? O salão da avenida fora o primeiro da minha emancipação financeira, depois da breve fidelidade a uma cabeleireira na Graça que se dispunha a fazer-me um brushing depois de eu desfrisar sozinha o cabelo em casa deixando escorrer sobre o corpo, na banheira, o produto tóxico, esperando que a espuma mudasse de cor como mandavam as instruções, aflita com o perigo de cegueira para que alertavam. A posteridade magoada do penteado de noiva, que não mereceu a Mila e a Roberto mais do que o tempo de um bocejo, encontraria nesse salão de bairro, a escassos quinhentos metros de Sapadores, uma convalescença acidental. A senhora da Graça fazia fiado à maior parte das freguesas e pediu-me que não deixasse de me cuidar no último dia em que a vi, de partida para outro bairro. O salão da Graça foi no tempo em que não tinha saudades de Luanda. Por difícil que me fosse então falar por mim a meio de uma lavagem de cabeça, questiono-me hoje como posso dar voz à dona desse salão que, com generosidade e paciência infinitas, desenfastiava o cotidiano da vizinhança envelhecida num desastre estético que enfureceria o meu avô Manuel; como posso, questiono-me, falar por outro. Se o outro é uma ruga da expressão, que apenas emerge na tentativa de fixar o afinco necessário para o recordar, como ousar ser um porta-voz? Precisaria de um porta-voz de mim mesma, uma língua para o que vejo como o lapso intransponível entre as respostas dadas e as respostas pensadas, entre a cabeleireira da Graça e a partida para outro bairro obscuro, outro salão, o lapso entre mim e a pessoa que de caminho me fui tornando; uma língua que, impermeável a todo o subterfúgio, fosse capaz de se escapar ao trovão dessa jornada sem outros percalços que não o do meu próprio caso mental.

 Revejo então a custo, no extremo do salão da Graça, o cubículo de uma esteticista que ali se instalara por conta própria. Não era maior do que uma despensa. Decorara-o como uma casinha de bonecas, dispondo em degradé frascos de verniz cujos tons rosados combinavam com os de dois peixes num aquário. Em prateleiras de cartão, expunha colares e pulseiras de pechisbeque comprados no Martim Moniz, que revendia às velhas do bairro em cujas unhas dos pés desenhava flores e cornucópias, fotografadas com o telemóvel para memória futura, numa colorida coleção de autorretratos, e não de trabalhos manuais. O salão da Graça, também escasso em recursos, não contava entre as suas funcionárias com outra alma tão menos de passagem, embora ela estivesse de passagem para a Penha de França, onde sonhava abrir o seu próprio espaço de beleza. Esse sonho, que viria a cumprir meses depois, participava da dignidade que apenas ao de leve toca o registo de uma memória. Não é a mão do redator que se interpõe entre ele e Deus enquanto escreve: é quem julgamos ser que se intromete nas idas ao salão da nossa vida, levando-nos a crer que Deus não mora num cubículo de estética, que há que procurá-lo num abismo condigno. Ocorre-me que nunca partilhei com uma cabeleireira o que fazia eu na vida, que nunca me entreguei ao esforço de lhes explicar a minha ocupação, como se não pudessem entendê-lo. Pouco falei de mim, por largos anos, enquanto me arranjavam o cabelo, menos por falta de paciência do que por uma timidez inflamada pela atmosfera demasiado humana dos salões. Essa reserva, de que hoje me envergonho, conduziu-me involuntariamente aos momentos em que, parecendo fugir-me, mais me coube a dignidade das minhas cabeleireiras breves, privando-me de me trazer a mim para o que era apenas um assunto de senhoras, na mesma careta evasiva do avô Manuel naquelas manhãs em que me via regressar com a avó Lúcia da cabeleireira. Vejo então com surpresa que o relato destas idas a salões ao longo dos anos descreve o que vivi como um intervalo de mim mesma, esse privilégio a que apenas em companhia conseguimos aceder e que me penitencio, em retrospectiva, por ter julgado arredado da minha vida, como se confundisse o intervalo com o resultado de uma ginástica árdua ao qual apenas a concentração me poderia conduzir. Esteve aqui todo o tempo, não na rememoração paginada, mas no curso do cabelo que tendi a confundir com uma aventura individual. Estava a meu lado em qualquer autocarro, tivesse eu tido a hombridade de partilhar com o veterano do Ultramar da vida de toda a mulata lisboeta um pouco menos de mim. É o que quero dizer ao evocar a esteticista da Graça, que nunca me tocou no cabelo, embora a autocomplacência da memória apenas me atire à cara a paranoia, o banho tóxico, a implacabilidade, o sono e as queixas da escolha aleatória de senhoras e senhores anónimos a quem entreguei o meu cabelo ao longo dos anos. Essa autocomplacência é a via para uma forma de fraudulência, a de fazermos de nós a personagem principal da nossa vida, amesquinhando as suas personagens secundárias. Toda a memória é incógnita, percebo então, para de imediato surpreender a revelação de que não nos lembramos senão em companhia. No Portugal que me calhou, foi apenas nos salões, antevendo a frustração de penteados sempre ao lado, que me dei descanso, o que me mostra que foi sobretudo nos salões, nesse intervalo subestimado, que fui de facto portuguesa.

Reparo que adio o corte à máquina zero no qual persisti três anos ao longo dos quais não visitei qualquer salão. Esse penteado pertence ao que pode ser dito, embora tal coincida porventura com o que não podemos dizer. Nesses anos, em que me compararam ao Ronaldinho, que por acaso reencontrei obeso e aposentado, também não pensei no meu cabelo. Não seria, contudo, o esquecimento da infância, do lenço minhoto, da puberdade, mas um esquecimento total: uma trégua. A exuberância de que me falava com orgulho o avô Manuel fazendo-me corar, das tranças da madrugada em São Gens, do cimo das colunas do Saturday's, para as quais subia com ajuda de desconhecidos e de onde nunca olhava para baixo, de novo num pónei reverberante, ficaria pelo caminho. O cabelo e escrever precisariam de vir um dia a alinhar-se como um par num reencontro. O livro do cabelo, no entanto, exigiria o esforço de deixar a literatura à porta, como o meu marido esperando-me ao longo dos anos em quatro automóveis diferentes e ligando-me para perguntar se já me despachei, com receio de se dar a ver às raparigas dos salões, tantas vezes preconceituosas, ficando no carro para me proteger de reparos, ouvindo rádio, mexendo no telefone, fazendo tempo. No livro do cabelo, a literatura faz tempo no carro e olha-me sem me reconhecer à primeira quando entro perguntando-lhe se gosta.

    O cabelo aguardaria por mim no princípio do caminho, na visão matinal das ruas de Oeiras, no Passeio Cesário Verde por onde ia para a escola primária e por onde passo hoje como se um trauma não fosse uma presença. É por esta razão que digo que o livro se fez metodicamente, sintetizando a única história que acredito ter a incumbência de contar, a história que alguns conhecem de como as africanas se olham umas às outras ao cruzarem-se pela rua em Lisboa, perscrutando os respectivos penteados, a roupa, os namorados — e às vezes sorrindo. Fazem-no também as meninas pequenas arrastadas pelas mães carregadas de sacos. Fui um dia essa menina, num café a que me levaram aos sete anos e no qual passaria várias horas a observar uma jovem mulata com quem pensei que um dia me pareceria. Ela levava uma blusa vermelha e conversava a uma mesa com amigos sob o meu olhar atento, a boca aberta várias vezes fechada pelos adultos. Eu pensava que um dia seria como ela, e olhava naturalmente para o seu cabelo, pensando na infância como uma etapa temporária de que alguém me salvaria. É por isso que até hoje aceno a essas meninas que me veem como um dia serão e são os melhores juízes, meninas que não pronunciam "como é" do mesmo modo que as suas mães, partilham comigo a prosódia e talvez conheçam já o seu cabelo melhor do que eu. Aceno-lhes e sorrio, a partir do mundo dos crescidos, tornada o seu próprio futuro revelado — e continuo. Revejo agora os olhares devolvidos na rua à minha passagem e o ocasional "bom-dia" que não nos coibimos de trocar, eu e as minhas irmãs africanas, pensando que "te tratava esse cabelo, te dava uma volta". Tias oferecem-me lenços de cores garridas — "Mila, vai bem com a tua pele". "Eu sei, vai bem, vai." "Tens de arranjar assim um estilo: tu tinhas." Persisto em procurar tudo em tons neutros transformada na minha própria ideia, embora multiplique adjetivos como se estivesse de folga. Talvez ter saudades não seja isto, não seja este o nome para ter incarnado a resposta a um psicodrama que finjo que me dá vontade de rir.

13

Nunca cuidei tanto do meu cabelo como no outono em que a Mila enlouqueceu. Também não aprendi fosse o que fosse nesses meses passados a dormir ou em frente ao espelho, para uma toilette delirante, comendo pasta de dentes na casa de banho à porta fechada e ouvindo através da porta a aterragem de helicópteros. Fazer parte de uma família grande pode distrair-nos dos nossos azares expectáveis. Não adianta muito esperar que uma herança se manifeste. Eu lidara com essa possibilidade com a reserva dos pais recentes que ridicularizam a precipitação da família próxima em encontrar parecenças nos seus recém-nascidos. A alienação chegaria no momento em que julgava enfim não me parecer com ninguém. Somos mais agudamente parecidos com os outros quando nos julgamos independentes. O golpe reside então em iluminar a forma como a nossa vida começou antes de termos tido início, uma constatação que apenas podemos viver passivamente.

Eu tivera início havia um século, babando-me sobre uma fronha na qual julgava reconhecer vielas da minha aldeia, feições familiares, batendo palmas sem ter razão para isso ou quedando-me abstraída numa mudança de luz, como uma trisavó que acabara num hospício no Porto. A sucessão não seria contudo uma oportunidade para o autoconhecimento, mas uma ocasião que enjeitaria a minha fé na possibilidade de me conhecer a mim mesma de uma forma solitária. Não existe muito a aprender com grande parte das coisas que nos acontecem, apesar do que ouvimos dizer sobre como tudo faz de nós pessoas melhores. Muito menos existe seja o que for que possamos aprender sozinhos, embora exaltemos os caminhantes solitários e os seus chamamentos individuais, que todavia não escondem o beicinho que puxaram aos avós, ou o remorso altivo que herdaram das mães.

Costuma dizer-se que tudo tem um significado, mas tal é uma forma do pavor humano de conviver com a injustiça. É mesquinho que precisemos de aprender que não existe justiça, mesquinho no sentido de ser qualquer coisa proporcional à nossa condição minoritária se nos compararmos com a grandiosidade da escala do mundo à nossa volta. Se a injustiça é o resultado da falta de sentido do que nos acontece, e com a qual nos conformamos com dificuldade, é também a possibilidade de reclamar um certo quinhão de graça nas nossas vidas. A redenção não reside por isso em encontrarmos um sentido para tudo, mas na possibilidade de surpreendermos a graça no que é arbitrário. Não nos está aberto procurá-la, contudo.

Os meses em que acreditei ser um vampiro ou Joana d'Arc, encontrando em tudo um sentido e um padrão, impecavelmente penteada e maquilhada para ir ao médico e planeando em guardanapos, à mesa de uma tasca de bairro, oportuno parapeito, estratégias de batalha quatrocentistas perante o alheamento da clientela frequente de olhos no *Correio da Manhã*, e pensando ser isso mesmo o século XV, não me tornaram uma pessoa melhor nem me aproximaram do que sou. Enlouquecer representou a possibilidade de reclamar a minha nacionalidade, ainda que não me tenha poupado à ironia de pouco haver de singular no modo como se padece. O outono continuava para os velhos da tasca, com a sua sucessão de jornadas do campeonato e crimes violentos; continuava em casa, com afazeres, refeições, finanças e a eleição de Barack Obama. Eu parara no tempo. "Desconhece-te a ti mesma", repito hoje como se estivesse convencida, apenas para tropeçar na minha curiosidade por mim a cada passo. Não fui a surpresa que antecipara, mas a pergunta que plantei no meu caminho. Vi passar o meu coração desencarnado sobre um andor esculpido toscamente em papel crepe e cola para madeira sob a serenidade de um domingo na vila. O trabalho de um ano de um grupo de escuteiros: uma escultura patusca trazida a público por momentos breves, embora antecipados, e depois recolhida numa cave húmida. "Porque é que as pessoas põem mantas à janela?", perguntou-me a criança que via passar a procissão comigo. "Porque é tradição", disse-lhe eu. "O que é *isso*?", foi a resposta que me deu. Não percebi que não posso fugir a confrontar-me com o que sou — mesmo que tal seja algo que apenas consigo ver a uma distância longa e equívoca. Aprendi a não temer embrenhar-me em mim mesma, uma condição que podemos viver enquanto uma conquista pessoal. O intervalo outonal conduziu-me ao tempo em que *eu* era novamente um ditongo aprendido numa cartilha, o que nunca deixamos de ser, mesmo que nos tornemos especialistas em falar em nome próprio. Digo "eu", "eu mesma", mas ser capaz de o dizer assemelha-se a voltar a ser esse ditongo numa lição de escola, uma habilidade de que me tinha esquecido. "Eu" vem do tempo em que reconhecemos por escrito o que já sabíamos dizer. Este é um recreio em que me é dado experimentar não apenas palavras novas, mas expressões aprendidas há muito tempo.

Repito "eu", "eu mesma", procurando-me pela casa numa noite escura. Sou então uma antiga velha corcunda sentada à chaminé, junto ao fogo, ainda em Seia, antes da partida da minha família portuguesa para Moçambique, a meio da década de 50 do século XX. A velha passava a noite à chaminé a dormitar, sentada num cadeirão sem que se desse por ela e confundindo-se com a escuridão de que saía para chamar as crianças da casa, que lhe tinham medo. Era no tempo em que elas ainda não se orientavam no escuro, não conheciam os ângulos da mobília e não sabiam distinguir as sombras que não relacionavam com os objetos tal como os viam à luz do dia. A velha corcunda dizia-lhes "Anda cá" com uma voz sumida, sentava-as ao colo e aplicava-lhes umas festas vigorosas, até que ao longe se ouvisse o ruído mínimo de passos. Despachava então os miúdos do colo dizendo-lhes "Sai, sai, sai" como se temesse que a apanhassem e retornava à mesma posição, o olhar perdido encostado ao cadeirão, ela mesma o cadeirão, sem que os miúdos entendessem a sua mudança de humor. Percebo nela o chamamento do passado pedindo-me que me aproxime para umas festas brutas, oferecendo-me um copo de leite morno, de ouvidos no corredor e a atenção dividida.

O que um dia fomos nem sempre nos chama convictamente mas tem, por vezes, a timidez de uma estranha familiar vigiando as nossas conversas, ansiosa por se meter connosco. Esse passado não se distingue de mim quando acordo a minha sombra e venho à cozinha procurar a velha que pensava procurar-me. Ver passar o andor foi aprender a andar no escuro, a confiar na estranha da casa que era afinal eu mesma, pensando ambas que conduzíamos o namoro por que nos aguardávamos mutuamente, procurando uma aberta na atenção dos adultos. A velha da chaminé de Seia pensava que chamava as crianças e era senhora das suas palmadas ternas, quando eram as crianças que a procuravam, entendendo, sem saber explicar, a natureza esquiva da sua meiguice e não lhe tendo afinal medo nenhum, mas a curiosidade que se tem por uma salamandra ou por um fogão: uma curiosidade semelhante à da velha pelo toque do nariz pequeno ou do pescoço suado das crianças à noite. Quando nos encontramos sem nos termos procurado deparamo-nos com o nosso quinhão de graça.

"Onde deixei a Mila?", pergunto-me, como se procurasse as chaves de casa. Terei ficado na Beira, em 67, lendo um jornal em voz alta à sombra de um mamoeiro, ou serei aquele borrão de tinta na fotografia de uma barragem também em Moçambique? Serei as nódoas de água sobre a secretária do meu avô Manuel; uma caneta na mala do avô Castro; a pulga no colchão em

São Gens? Encontrar uma pessoa pode ser sinal de que a procurámos. Parece-me todavia que "encontrar" não é um resultado previsto de "procurar" quando falamos de pessoas. Encontrar-me a mim é mais parecido com encontrar uma pulga quando se procurava um borrão; encontrar uma nódoa de água quando se procurava uma chave; encontrar uma caneta quando se procurava uma pessoa. O que se encontra reconfigura o que se procurava. A procura de uma origem e de uma identidade não reconstitui a minha origem nem descobre a minha identidade. Uma pessoa apenas se encontra a si mesma por acaso.

"Onde deixei a Mila?" O tempo da procura coincide com o tempo da descoberta, exatamente como se percebesse o propósito do que escrevo no decurso de escrever. A pessoa que encontrei por acaso confunde-se com o resultado de uma procura apenas no sentido em que, se usarmos uma pá para desenterrar um baú, é possível que o baú encontrado esteja marcado pela pá que usámos. Tal conclusão mostra-me que apenas por acaso este é o meu cabelo. O que somos por escrito é tão diferente do que somos quanto uma nódoa de água é diferente de uma chave.

Como seria a minha rua numa manhã de inverno, a caminho da escola, vista do cimo de um poste por um pombo ali pousado? Podia ser que o pombo me visse, observando-me no reflexo das poucas montras que havia no Passeio Cesário Verde que percorria todas as manhãs. Eu pensava em como me ficava um par de sapatos novos, comprados pela avó Lúcia um número acima. O pombo lançava à minha passagem um dejeto que se fragmentava no ar. Nesse caminho frio e escuro em que não se via vivalma, éramos, eu e o pombo, as únicas discerníveis formas de vida: eu, absorta em mim mesma, aprendendo em solidão a solidão — vivendo para dentro; o pombo estremecendo de frio ao batimento do seu coração pequeno, uma negação da mente: um coração com penugem. Talvez nem sequer nos víssemos. Acima do pombo, a chuva cai, certas manhãs, sem que consigamos perceber-lhe uma origem. A origem não quer saber do que origina, não sabe que é origem. A partir desse ponto abstrato, o meu cabelo é apenas movimento, um sinal de vida que não se distingue dos outros corpos sobre os quais a chuva cai. A Oeiras da minha infância e o interior dos seus habitantes são, para a chuva, um destino arbitrário, nem sequer um lugar. Esta indiferença da criação, de que somos os únicos objetos divergentes, aflige-me quando vislumbro o crescimento da minha mente, o único aspecto redentor do rumo do meu cabelo, de que os seus cortes e o seu esquecimento são uma lembrança fútil. Sofro então do espanto e da aflição que me agonia por vezes, passeando hoje pela rua, perante a evidência de que cada pessoa com que me cruzo traz dentro de si uma vida. Tanta, tanta, tanta gente, *tanta* vida, penso então recolhendo-me.

Não sou um aspecto da vida do pombo, mas apenas um corpo vivo de passagem. A pessoa que eu poderia ter sido não seria a caricatura de que sinto saudades. Seria uma pessoa. Dir-se-ia então: "Tanta, tanta, tanta gente, *tanta* vida". Pode ser que eu, do cimo do meu miradouro, e mesmo no meio da multidão, contemple a minha origem e seja dela uma testemunha tão pouco eloquente quanto o pombo que me via passar a caminho da escola. Do miradouro, sou porventura uma contempladora desmiolada do crescimento da minha mente. Não poderia ver-me passar e passar ao mesmo tempo. A chuva não quer saber de nós — não escolhe os parvos — e é, vista de longe, coisa miúda.

14

O meu pai percorreu uma vez de lambreta a distância entre a Beira e Luanda. Foi no fim de 60, na altura em que os seus pais se mudaram de Moçambique para Angola, onde o meu avô seria colocado num novo emprego, após década e meia a construir barragens. Essa viagem e a escolha da lambreta são na minha imaginação um êxtase de independência do meu pai, à data adolescente. Recusara-se a fazer a viagem de avião e fora de lambreta, como se tivesse de percorrer apenas dois quarteirões. Tudo o que vejo e oiço é, para além disto, um contínuo de deserto cortado pelo ruído da lambreta. Tal é absurdo, bem sei, e geograficamente pueril. Gosto contudo de pensar na sua imagem correndo o deserto, a savana, a montanha, o rio e as aldeias, soltando poeira vermelha, cobre, magenta, sem nunca se deixar atolar, com o ruído de fundo irritante do motor que, passando, se extingue, como um resumo de qualquer juventude. Penso nesta viagem como o contrário das digressões dos padres do deserto, em silêncio e igualmente ruidosos.

Já em Angola, o meu pai deparou um dia com uma *Welwitschia mirabilis*, uma espécie do deserto que apenas ali se encontra e é conhecida por não servir para nada. A *Welwitschia* vive séculos com escassos recursos e não tem qualquer utilidade quer para as zebras, quer para os humanos. Esta espécie é um daqueles dispêndios de energia injustificados da criação, como dizemos incomodados sobre as moscas. Posta no caminho do meu pai, a planta foi o que muitas vezes são as coisas naturais: obstáculos reveladores da razão de ser das nossas teimas. Não significa que a inutilidade da planta fosse uma pista para o absurdo do projeto de cruzar o continente de lambreta, perfazendo o mapa cor-de-rosa. Era porém um sinal mais geral da intimação de insignificância que paira sobre tudo o que fazemos. O meu pai não pensou ter sido o primeiro homem a avistar a planta repugnante; não saudou a sua visão com um salto de corça; não parou a lambreta.

Não sei o que levaria ele na mochila que o vejo transportar às costas. Tenho diante de mim sobras de Moçambique. A secretária do meu avô Manuel, que pertenceu ao meu pai; quatro fotografias de água a jorrar de uma barragem projetada pelo meu avô; uma fotografia de grupo sua com colegas da firma hidroelétrica em que trabalhava na Beira; a tradução inglesa de uma Bíblia, pela qual talvez a avó Lúcia lesse um salmo pela tarde, a seguir à canasta. Num vídeo, o avô Manuel, com pouco mais de quarenta anos, escreve na areia de uma praia "1967", ano que também se consegue ver na primeira página de um jornal lido pela avó Lúcia noutro plano do vídeo. Não sei como encabeçar a história do meu cabelo, que me aparece como um verbete que não sei a que termo corresponde. Não me posso substituir à mochila do meu pai nem à minha mochila.

15

Uma vez sem exemplo arranjou-me o cabelo uma londrina que tentou a sorte no Chiado, num salão que se percebia não estar ali para durar. Ao longo de hora e meia, deitou por terra todas as anteriores cabeleireiras da minha vida, que dizia terem-me destruído o cabelo. "Este cabelo tem um ano", disse-lhe eu, habituada. Alisou-me o cabelo com pentes quentes, que tirava com destreza de um pequeno forno elétrico, uma versão moderna dos pentes aquecidos no carvão que eu vira em mercados de Luanda e me assustavam. Passado um intervalo de três meses, voltei e bati com o nariz na porta: o costume.

Penso que o que procurei sempre, além de tentar aprender a responder ao bullying das cabeleireiras, foi viver uma história de fidelidade. Contou-me uma amiga que a cabeleireira de uma vida perdera a mão para o seu cabelo. Pensei que era isto que eu queria, uma mão a que confiar-me e que porventura me ensinasse: uma mão visível. A história acidentada destas tribulações, que agora me chega enquanto torrente silenciosa e ordenada, é porém mais vasta do que a minha história e não é especificamente individual. É a história da interrupção dos negócios, das expectativas defraudadas e das mudanças de planos, de telefones, de emprego, de casa, dos que mudam de país para viver melhor, uma condição que faz de qualquer pessoa alguém em quem não se pode confiar, que não atende, volta já, fechou, mudou-se, que está em trânsito, mostrando-nos que também estamos. Revejo o que arrisca perder-se. As minhas idas à Almirante Reis em busca do famigerado Salão Obama, a alma piedosa que me gabou o cabelo no dia em que o cortei pela última vez, lamentando-o e pensando que eu perdera a cabeça. Vejo que o compasso do livro se devia marcar não pelos cortes e os penteados, mas pelo tempo em que o cabelo deixa de ter corte. Eu procurava a fidelidade, vendo em mim um ponto fixo pelo qual medir a transitoriedade das donas dos salões. Nunca parti: fiquei por cá.

Percorrendo de carro a Almirante Reis em busca do número de uma loja agora emparedada, outro salão negativo, uma solução, eu procurava-me a mim sem perceber que a frustração antecipada era a condição desta história para que procurava assunto pensando não ter matéria para o meu livro. Conforto-me em perceber que antecipei uma biografia, com a mesma pressa com que confundo dores de crescimento com dores crónicas. A bem dos meus azares capilares provisórios, e por um revisionismo alegre, rendo-me ao pensamento de que encerrei um capítulo, possivelmente o da infância do meu cabelo. Vivi um livro, sem perceber que o que escrevo é o lixo desse livro. Tento enquanto posso a memória do que ainda vivo e que não vejo sem uma proximidade enganadora. O que escrevo é uma prótese de reserva para os braços que me ficarão pelo caminho. Confiro a lista de salões, recuso-me a encontrar sentidos, o modo como calo as contraindicações, o risco real descrito nos rótulos, a comichão, as queimaduras, a minha latente condição de amputada, a reincidente palavra "abrasivo", literariamente estimável, a política suave da procura do sol e da água pelos jovens dos saltos mortais à beira-mar, por quem temíamos, numa altura em que todas as aventuras acabavam com um tetraplégico. A narração elíptica da biografia inacabada do meu cabelo, a que a debilidade da memória me força, frustra toda a filosofia do cabelo. Seria preciso uma memória de elefante, não uma juba revolta. Como poderia aspirar a uma política um drama interno?

16

A única vez que percorri Lisboa em busca de um ornamento para o cabelo ia à procura de uma magnólia de seda para rematar o meu penteado de noiva. Na rua da Conceição, numa retrosaria, fui persuadida da singularidade de uma travessa de strass, que acabaria por usar na cerimónia. Não foi, contudo, a procura e a escolha da travessa, nem a sua estreia no dia do casamento, o que a tornaram o que é hoje. No dia da cerimónia, revelou-se uma má compra, escorregando do meu cabelo alisado. No regresso, esqueci-a numa gaveta. Anos depois, arranjei uma vitrina. Enchia-a de quinquilharia e fotografias e lembrei-me da travessa. Foi-me então claro, ao arrumá-la no seu novo lugar, que a vitrina era a vitrina da travessa, e que esta não servia para ser usada, mas para exposição.

Vejo-a todos os dias ao atravessar o corredor. Não me lembra o dia em que a usei. Na reserva da vitrina, corresponde a um emblema do meu drama capilar. Guardo-a como a uma antiguidade, como se me tivesse casado há cinquenta anos, ou como se a tivesse herdado. Não me lembro, é a verdade, de alguma vez me ter pertencido, como se me estivesse aberto, numa ida às compras, forjar a minha genealogia e deparar com um pertence de família que não julgara perdido. Diz-me "A Mila, pois", encetando uma conversa que não discirno. É também uma lembrança de que é quando as coisas são mostradas que começamos a perecer.

Da pessoa que não fui tenho a mesma noção truncada que Maria da Luz tinha de Lisboa, o conceito truncado de Conceição ou Josefina que o seu retrato patético e esbatido preservava, o telegrama elíptico que me chegou da juventude dos meus pais, o ainda mais elíptico telegrama dos meus anseios e esperanças em qualquer idade do passado. Todo este fumo me é hoje um rosto esborratado através do tempo, a caricatura (sei que o repito) da pessoa que, não chegando a ter sido, persisto em repetir que não cheguei a ser, como se precisasse de me convencer. Vejo que, à distância devida, o que fui é esse rosto duplicado, que sou eu quem o molesta e lhe dá ordens, quem bate o compasso para que assobie, quem troça do seu nariz abatatado. No entanto, e arrepio-me de pensá-lo, é dessa máscara que sinto saudades, como se a pieguice da memória atraiçoasse as melhores intenções e me devolvesse como uma fantasia de que choro e rio, não fosse ela uma degradação. É a memória, enchendo-me da vergonha de não ser capaz de um olhar cheio de graça, que me conduz a esse rosto. Temo então que, tomando-o eu mesma dessa forma, o tomem a ele como adulteração, como se a fraudulência fosse uma propriedade que a memória privada adquire quando se torna pública (um espiritual entoado no autocarro) e, falando do meu cabelo, me entregue à lama da memória coletiva, perdendo de vista o mundo contemplado a partir da vitrina: os acidentes do coração da "menina muito clássica" que cada um tem o direito de trazer dentro de si — acidentes do anonimato. É-me então clara a armadilha da pieguice e como me escorrego por entre os dedos: o rosto de que sinto saudades, o mesmo que julgo não ser o meu, não me anuncia senão a mim.

Não consigo manter-me lúcida enquanto recordo nem fixar uma moral da memória que, deixada à solta, me devolve o que sou sob forma do duplo que me merece, ao mesmo tempo, repulsa e comprazimento, conduzindo-me à posição de execrar essa máscara para logo depois perceber que execrável é não ser capaz de acarinhar o conceito paupérrimo e emprestado daquilo que também sou. De que vale trazer a Mila à luz para confirmar que arrancá-la à propaganda é a poeira à passagem da nossa caravana?

A travessa exposta na vitrina devolve-me a mim como decoração do meu cabelo. O cabelo é a pessoa. O subterfúgio da comédia, o drama pretensamente tranquilo, são os adornos. "Faz de ti um museu mostrando o que já era visível." A redundância emerge quando, sob papel de seda, do interior da caixa que sabíamos conter alguma coisa, se revela a travessa. Escrever parece-se com pentear uma cabeleira em descanso num busto de esferovite. Se o cabelo é a pessoa e eu a travessa, se sou o objeto enfeitiçado, se foi a mim que encerrei na vitrina na esperança de assistir de camarote ao nosso cinema, quem é ainda a Mila?

Djaimilia Pereira de Almeida © Relógio D'Água Editores, 2020

Todos os direitos desta edição reservados à Todavia.

Grafia atualizada segundo o Acordo Ortográfico da Língua Portuguesa de 1990, que entrou em vigor no Brasil em 2009.

capa
Luciana Facchini
ilustração de capa
Jônatas Moreira
foto p. 67
Elizabeth Eckford and Hazel Bryan, Will Counts
© Will Counts Collection/ Indiana University Archives
foto p. 100
Eddie Cantor © AP Photo/ Imageplus
composição
Manu Vasconcelos
revisão
Erika Nogueira Vieira
Ana Maria Barbosa

Dados Internacionais de Catalogação na Publicação (CIP)

Almeida, Djaimilia Pereira de (1982-)
Esse cabelo / Djaimilia Pereira de Almeida. —
1. ed. — São Paulo : Todavia, 2022.

ISBN 978-65-5692-220-1

1. Literatura portuguesa. 2. Romance. 3. Literatura contemporânea. 4. Identidade. 5. Relações familiares. 6. Migração. 7. Cabelo crespo. I. Título.

CDD 869.3

Índice para catálogo sistemático:
1. Literatura portuguesa : Romance 869.3

Bruna Heller — Bibliotecária — CRB 10/2348

todavia
Rua Luís Anhaia, 44
05433.020 São Paulo SP
T. 55 11. 3094 0500
www.todavialivros.com.br

fonte
Register*
papel
Munken print cream
80 g/m²
impressão
Geográfica